abc
DELF
Junior Scolaire B1

CLE INTERNATIONAL

Adrien PAYET
Virginie SALLES

Direction de la production éditoriale : Béatrice Rego
Édition : Brigitte Faucard
Marketing : Thierry Lucas
Conception graphique : Miz'enpage
Mise en page : Emma Navarro
Illustrations : Oscar Fernández
Couverture : Miz'enpage/Griselda Agnesi - Dagmar Stahringer
Enregistrements : Quali'sons studio
Vidéo : Adrien Payet
CLE International / SEJER 2018
ISBN : 978-209-038250-1

Avant-propos

Le DELF scolaire et junior, sous sa forme actuelle, a été mis en place en 2005 lors de la réforme globale des certifications DELF-DALF qui visait à harmoniser ces examens sur les niveaux du *Cadre Européen Commun de Référence pour les Langues* (CECRL). Le DELF scolaire et Junior compte 4 diplômes correspondant aux niveaux A1, A2, B1, B2. Ces diplômes s'adressent à un public d'adolescents de 12 à 18 ans. Ils sont constitués d'épreuves orales et écrites, organisées sous forme d'exercices de compréhension, de production mais aussi d'interaction. Leur obtention permet de valider un parcours d'apprentissage et atteste officiellement d'un niveau de connaissance en langue française.

Le niveau B1 du CECRL se réfère à l'utilisateur « indépendant » ; il est défini également comme « niveau seuil ». À ce niveau, « *l'apprenant peut comprendre les points essentiels quand un langage clair et standard est utilisé et s'il s'agit de choses familières dans le travail, à l'école, dans les loisirs, etc. Il peut se débrouiller dans la plupart des situations rencontrées en voyage dans une région où la langue cible est parlée. Il peut produire un discours simple et cohérent sur des sujets simples et familiers et dans ses domaines d'intérêt. Il peut raconter un événement, une expérience ou un rêve, décrire un espoir ou un but et exposer brièvement des raisons ou explications pour un projet ou une idée.* » (d'après l'échelle globale du CECRL, Conseil de l'Europe, Division des langues vivantes, p. 25).

Le DELF junior scolaire niveau B1 correspond – selon les standards du *Centre International d'Études Pédagogiques* (CIEP) qui crée les épreuves du DELF – à un enseignement de 230 h à 400 h. Son objectif est de préparer aux épreuves du DELF scolaire et junior B1 décrites dans ce manuel pages 14, 40, 102 et 138. **Grâce à ses 200 activités** qui incluent des DELF blancs proposés de la page 155 à la page 176, cet ouvrage constitue un excellent entraînement avant de passer l'examen, et permet à l'élève de se familiariser avec les épreuves et de progresser.

ABC DELF junior scolaire travaille les quatre compétences du DELF en quatre grandes parties : compréhension orale, compréhension écrite, production écrite, production orale.

L'entraînement aux quatre compétences est organisé de la même façon :

- Au début de chaque chapitre, pour chaque compétence, **des conseils utiles** permettront à l'élève de savoir exactement en quoi consiste l'examen, comment l'affronter et les écueils à éviter.

- Une cinquantaine d'activités qui reprennent des **thématiques proches des intérêts des jeunes,** comme dans les épreuves de l'examen de DELF scolaire et junior.

- À la fin de chaque chapitre **une épreuve blanche** permettra à l'élève d'évaluer son niveau dans la compétence travaillée.

- Pour mieux cerner les critères d'évaluation, nous proposons des **descriptions détaillées pour bien connaître les barèmes de compréhension** et **comprendre les grilles d'évaluation** des activités de production.

- Pour la production écrite, **un exemple de copie de candidat commentée** est proposé.

À la suite des quatre parties, **3 DELF blancs complets** sont ajoutés, permettant au(à la) futur(e) candidat(e) de se placer en situation de passation du DELF scolaire et junior B1.

Tous les corrigés des exercices de compréhension orale et de compréhension écrite sont fournis avec le livre pour vérifier les réponses.

Une approche très guidée :

- Une **autoévaluation** en début d'ouvrage permettra au futur candidat d'identifier ses points forts et ses points faibles.

- **Les conseils du Coach**, présents tout au long des activités, donnent toutes les clés pour réussir l'examen.

Conseils du coach

Un DVD fait découvrir le DELF en image. Retrouvez le coach du DELF dans une vidéo interactive organisée en 3 séquences. La première séquence permettra de voir comment se déroulent les épreuves collectives et d'obtenir de nombreux conseils. La deuxième est une passation entière de production orale pour obtenir un modèle du niveau B1. La troisième séquence est le « Quiz ABC DELF » : une vidéo interactive pour découvrir les pièges à éviter pendant l'épreuve de production orale.

Nous vous souhaitons une bonne préparation et une excellente réussite à l'examen !

Les auteurs

abc Delf
junior scolaire B1

Sommaire

Compréhension orale

Comprendre des conversations en français ... / 5 points

Exercice 1 *Lisez les questions. Écoutez l'enregistrement puis répondez.*

1 • De quoi parlent Mathieu et Élodie ? ... / 1 point
....

2 • Pourquoi est-il difficile de rentrer dans l'école de cinéma ? ... / 1 points
....

3 • Qu'est-ce que Mathieu pense faire pour payer son école ? ... / 1 point
....

4 • Quel métier veut faire Élodie ? ... / 1 point
....

5 • Pourquoi Éva va-t-elle étudier le droit ? ... / 1 point
....

Partie 2
Comprendre des annonces et des émissions en français ... / 5 points

Exercice 2 *Lisez les questions. Écoutez l'enregistrement puis répondez.*

1 • Quel est le thème principal de l'émission ? ... / 1 point
....

2 • De quelle manière Fabrice Grano a-t-il participé au film *S'il te plaît, dis-moi oui* ? (Deux réponses attendues.) ... / 2 points
....

3 • De quoi parle le film ? ... / 2 points
....

Compréhension écrite

Partie 1

Lire pour s'orienter - accomplir une tâche

... / 5 points

Exercice 1 *Répondez aux questions, en cochant (✓) la bonne réponse ou en écrivant l'information demandée.*

Avec un groupe d'amis, vous décidez de manger au restaurant. Vous choisissez un lieu selon les critères suivants :

- vous voulez sortir dimanche soir ;
- Boris ne mange pas de viande ;
- Axel veut manger à l'extérieur ;
- le restaurant doit se trouver en centre-ville ;
- votre budget est de 14 €/personne.

Vous lisez ces deux annonces dans un dépliant promotionnel sur votre ville.

ECHEA

CUISINE TRADITIONNELLE BASQUE

Ouvert toute l'année. Du lundi au vendredi le midi.
Service midi de 12 h à 14 h.
Ouverture exceptionnelle le soir pour les repas de groupes.

Menus de 13 € à 17 €
Plat du jour : 9 €
Toutes les entrées : 4, 80 €
Tous les desserts : 4, 80 €
Café : 1 €
Plateaux repas de 12, 90 € à 14, 90 €.

Chèque Restaurant.
Terrasse.

Echea pimente le quartier Beaulieu – centre-ville.

Ne passez pas à côté de ce nouveau restaurant qui propose, avec succès, des spécialités basques et des plats traditionnels français à base de poisson exclusivement. À consommer sur place ou à emporter.

Chez Claudio - Pizzeria

Centre commercial Vallée des Capucins (Accès A24, sortie 32)

Ouvert toute l'année. Le lundi et le mardi de 8 h à 19 h ;
le mercredi et le jeudi de 8 h à 23 h ; le vendredi de 8 h à 1 h.

Formule du midi : pizza + boisson : 10 €
Menu (pizza, boisson, dessert, café) : 14 €

Vente à emporter.

Dans un cadre accueillant, Claudio vous invite à déguster des pizzas savoureuses et uniques. De véritables créations vous sont proposées à la carte. La pâte est d'une incroyable finesse. Une belle expérience culinaire à partager en famille ou entre amis !

Salle climatisée

	Echea		Chez Claudio	
	OUI	NON	OUI	NON
Cuisine sans viande				
Jour et horaire				
Extérieur				
Localisation				
Tarifs				

0,5 point par croix placée correctement.

Quelle solution choisissez-vous ?

....

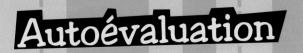

Partie 2

Lire pour s'informer

.../ 5 points

Exercice 2 *Lisez le document puis répondez aux questions.* ///

> ### Le nouveau site d'Interpol* vous invite à jouer les enquêteurs
>
> Interpol a lancé mardi sur son site Internet une « zone pédagogique » destinée aux adolescents, afin de leur présenter l'organisation policière internationale et de les inviter à jouer les enquêteurs pour démasquer des trafiquants.
>
> *Qu'est-ce qu'une notice rouge ?* ou *Quelles bases de données gèrent la plus vaste organisation policière au monde ?* figurent parmi les questions traitées sur www. interpol.int/ studentzone, « ressource pédagogique » pour les élèves, leurs parents et enseignants, précise Interpol, basée à Lyon. L'objectif de ce nouveau site est, par ailleurs, « d'aider les jeunes à être mieux informés sur la manière de se protéger », à l'heure où de plus en plus de crimes « sont commis via Internet », explique Roraima Andriani, responsable du projet au sein de l'organisation aux 190 pays membres. « Il est important de garder à l'esprit que l'Internet n'est qu'un miroir de notre société et, de même que nous considérons l'école comme fondamentale pour les enfants dans le monde réel, l'éducation est tout aussi importante sur Internet, indique-t-elle. Le nouveau site éducatif nous permet de partager les connaissances et l'expertise que nous avons acquises avec nos pays membres afin d'aider les enfants à mieux savoir comment se protéger. »
>
> Une grande partie de cette *Student Zone* est dédiée à un jeu de rôle, *L'affaire du tatouage noir*, invitant le lecteur à se glisser dans la peau d'un agent d'Interpol, voyageant de pays en pays pour démanteler une bande de trafiquants internationaux. Les joueurs se glissent dans la peau d'un enquêteur qui doit recueillir des indices et s'acquitter de différentes tâches afin de clore l'enquête.
>
> *Interpol est la plus grande organisation internationale de police criminelle.
>
> D'après l'article « Interpol lance un site pour les adolescents, invités à jouer les enquêteurs » leparisien.fr, le 29 mai 2012
> http://www.leparisien.fr/lyon-69000/interpol-lance-un-site-pour-les-adolescents-invites-a-jouer-les-enqueteurs-29-05-2012-2022738.php

1 ● Quel est l'objectif de cette initiative ? .../ 1 point

....

2 ● À qui s'adressent les ressources pédagogiques ? (Trois réponses attendues.) .../ 1, 5 point

....

3 ● Dites si les affirmations suivantes sont vraies ou fausses en cochant la case correspondante et citez les passages du texte qui justifient votre réponse. .../ 1, 5 point

	VRAI	FAUX
a. Le site a pour but d'aider les jeunes à se protéger.		
Justification :		
b. D'après Roraima Andriani, Internet n'a pas de but éducatif.		
Justification :		
c. Le site éducatif est le résultat d'une collaboration internationale.		
Justification :		

4 ● Quel est le but du jeu de rôle ? .../ 1 point

....

Production écrite

Écrire une lettre personnelle   ... / 10 points

Vous êtes dans un lycée international. Vous lisez cette communication sur le panneau d'affichage :

> ### Internet à l'école !
>
> *Avant d'installer Internet sans fil dans toute l'école, nous voulons savoir quelle utilisation vous feriez de la toile quand vous êtes à l'école. Écrivez-nous pour nous donner votre avis et nous faire part de vos suggestions.*

Vous répondez à cette enquête. Vous dites en quoi Internet peut vous servir à l'école. Vous dites ce que vous pensez de cette proposition d'accès sans fil. (160 à 180 mots.)

....

....

....

....

Production orale

Partie 2

Exercice en interaction - gérer une situation imprévue ... / 5 points

Vous partez en vacances quinze jours avec votre famille. Vous essayez de convaincre un ami français de garder votre chien pendant vos vacances et vous lui expliquez ce qu'il faudra faire (nourriture, heures des sorties, etc.).

L'examinateur joue le rôle de votre ami français.

Partie 3

Expression d'un point de vue ... / 5 points

Lisez le texte ou l'article puis présentez l'idée principale et donnez votre opinion. ///////////

Élever un adolescent, entre autorité et liberté

Les parents ne savent pas toujours quelles limites poser ni quelles libertés accorder à leurs enfants.

Comment obtenir qu'un adolescent ne laisse pas ses affaires partout, ne passe pas des heures sur son ordinateur, prévienne quand il rentre du lycée ou ne se couche pas régulièrement à trois heures du matin, sans être en permanence* derrière lui ?

Autoévaluation

« Ils sont à un âge où ils ne supportent pas qu'on leur dise quoi que ce soit », résume Sylvie, mère de deux enfants (18 et 15 ans). « Leur ordonner quelque chose est improductif. Il faut s'exprimer avec précaution, sans être trop brutal et on n'a pas le droit d'être impatient ! », observe Anne, mère de deux filles (13 et 16 ans).

*En permanence : tout le temps, toujours…

D'après l'article « Élever un adolescent, entre autorité et liberté » la-croix.com, le 10 janvier 2012
http://www.la-croix.com/Famille/Parents-Enfants/Dossiers/Enfants-et-Adolescents/13-a-18-ans/Elever-un-adolescent-entre-autorite-et-liberte-_NP_-2012-01-03-753485

Votre score final : … / 40 points
1. Si vous avez plus de 30 points : Bravo ! Vous devriez obtenir sans problème le DELF scolaire et junior B1.
2. Si vous avez entre 20 et 29 points : Pas mal ! Travaillez les compétences où vous avez le score le plus faible.
3. Si vous avez en-dessous de 20 points : Il faut encore travailler… Faites les exercices du livre et vous devriez améliorer votre score.

Compréhension orale

L'épreuve de compréhension orale

Conseils pratiques

La compréhension orale, qu'est-ce que c'est ?

Il s'agit du premier exercice de l'épreuve collective du DELF. Vous devez écouter des documents audio et répondre à des questions de compréhension globale et détaillée.

Combien de temps dure la compréhension orale ?

La compréhension orale dure environ 25 minutes.

Comment dois-je répondre ?

Le surveillant de la salle d'examen distribue un livret à tous les candidats. Vous devez écrire vos réponses sur ce livret. Les questions pour la compréhension orale se trouvent dans les premières pages.

Combien y a-t-il d'exercices ?

Il y a 3 exercices.

Qu'est-ce que je dois faire ?

Vous allez entendre **3 documents sonores**, correspondant à des situations différentes.

Pour le premier et le deuxième document, vous aurez :
- 30 secondes pour **lire les questions** ;
- une **première écoute**, puis **30 secondes de pause** pour commencer à répondre aux questions ;
- une **deuxième écoute** puis **2 minutes de pause** pour compléter vos réponses.

Pour le 3e document, vous aurez :
1 minute **pour lire les questions**, puis vous entendrez **deux fois** l'enregistrement avec **une pause de trois minutes** entre les deux écoutes. Après la deuxième écoute, vous aurez encore **2 minutes** pour compléter vos réponses.

Ces instructions sont écrites sur le livret.

Exercices	Types d'exercice	Questions	Durée des supports	Nombre de points
Exercice 1	Comprendre un dialogue de la vie quotidienne entre locuteurs natifs.	Il y a 5 à 6 questions de type QCM, tableaux à remplir ou questions semi-ouvertes.	Enregistrement de 1 mn à 1 mn 30.	6 points
Exercice 2	Comprendre une interview, un bulletin d'information, une publicité, etc.	Il y a 6 questions de type QCM, tableaux à remplir ou questions semi-ouvertes.	Enregistrement de 2 à 3 mn.	8 points
Exercice 3	Comprendre une interview, un bulletin d'information, une publicité, etc.	Il y a 8 à 10 questions de type QCM, tableaux à remplir ou questions semi-ouvertes.	Enregistrement de 2 à 3 mn.	11 points

Conseils du coach

1. Profitez des temps de pause pour **lire calmement les questions** et les mémoriser. Il sera plus facile ensuite de repérer les informations demandées pendant l'écoute du document.

2. Restez très **concentrés** pendant l'écoute des messages ou des dialogues.

3. Répondez aux questions pendant le temps qui vous est accordé après la première écoute.

4. Vérifiez que **les réponses sont correctes** pendant la deuxième écoute.

5. Si nécessaire, **complétez ou corrigez vos réponses** pendant le temps qui vous est accordé (de 30 secondes à 2 minutes) après la deuxième écoute.

6. Attention, dans les questions à choix multiple, **cochez une seule réponse** sauf s'il est précisé sur le livret que plusieurs réponses sont correctes.

7. **Attention à l'écriture et à l'orthographe** ; vos réponses doivent être compréhensibles.

Comprendre des conversations en français

I   À l'école

Il s'agit de dialogues entre amis ou entre un adolescent et ses parents, un adolescent et un professeur. Veillez à bien repérer les prénoms des personnes qui parlent. Cela vous aidera à répondre.

Exercice 1 *Lisez les questions. Écoutez l'enregistrement puis répondez.*

1 ● Que s'est-il passé ?

La première question est souvent une question d'introduction. Elle porte sur la compréhension générale du document.

....

2 ● Quand est-ce que l'événement a eu lieu ?

    a. En entrant dans la piscine.   **b.** En sortant de la piscine.   **c.** En sortant des vestiaires.

3 ● Kevin...

    a. a mal à la tête.   **b.** ne peut plus marcher.   **c.** a mal au dos.

    d. a perdu connaissance. **e.** a une grosse bosse.

Vous devez sélectionner deux réponses.

4 ● Qu'est-ce que Marc et ses amis ont fait ?

....

5 ● Comment Marc propose-t-il de retrouver le numéro de téléphone des parents ?

....

Vous pouvez recopier le texte ou reformuler. L'important est de montrer que vous avez compris le document et la question.

6 ● Kevin va...

    a. rentrer chez lui.   **b.** aller à l'hôpital.   **c.** rester à la piscine.

Exercice 2 *Lisez les questions. Écoutez l'enregistrement puis répondez.*

1 ● Dans quel pays Ophélie part-elle ?

....

2 ● Avec qui ?

....

Écrivez un mot ou un groupe de mots. Vous n'êtes pas obligé de rédiger une phrase « Ophélie part avec... ».

3 ● Elle part pour...

    a. les vacances. **b.** y habiter. **c.** préparer son baccalauréat.

4 ● Quelles sont les raisons de son départ ?

....

Ici, vous devez écrire une courte phrase.

5 ● Que veut faire Ophélie après le lycée ?

....

6 ● Dans un lycée français... (Deux réponses attendues.)

   a. les professeurs sont français.   **b.** il n'est pas possible de passer le baccalauréat.
   c. le programme est le même qu'en France.   **d.** le programme est différent du programme en France.
   e. il n'y a que des élèves français.

7 ● Pourquoi Ophélie est-elle un peu triste ?

   ....

   Les questions qui commencent par « pourquoi » impliquent de répondre par une courte phrase.

Exercice 3 *Lisez les questions. Écoutez l'enregistrement puis répondez.* ////////////////////

1 ● Noémie et Théo...

   a. sont amis.   **b.** ne se connaissent pas.   **c.** étudient dans deux écoles différentes.

2 ● Pourquoi Noémie a changé d'école ?

   ....

3 ● Pourquoi Noémie n'aimait pas son ancienne école ? (Une réponse attendue.)

   ....

   Lorsque vous trouvez cette précision, vous ne pouvez donner qu'une seule réponse même si le document en fournit plusieurs.

4 ● Dans sont ancienne école, Noémie...

   a. n'aimait aucun professeur.   **b.** détestait le professeur d'histoire.   **c.** appréciait un seul professeur.

5 ● Quelle est l'opinion de Théo sur son école ? (Deux réponses attendues.)

   a. Il apprécie beaucoup ses professeurs.   **b.** Les professeurs sont trop sévères.
   c. Il pense que c'est l'école parfaite.   **d.** L'ambiance est très agréable.
   e. Il y a une mauvaise ambiance.

6 ● Quelles sont les activités possibles l'après-midi ? (Citez au moins trois activités.)

   ....

   ....

   Si vous citez le nombre d'activités demandé, vous pourrez obtenir le maximum des points le jour de l'examen.

7 ● Dans quel atelier Noémie souhaite-t-elle s'inscrire ?

   ....

8 ● À qui doit-elle s'adresser ?

   ....

Exercice 4 *Lisez les questions. Écoutez l'enregistrement puis répondez.* ////////////////////

1 ● Dans son cours de musique, monsieur Delannoy va...

   a. enseigner les différentes familles d'instruments et les notes.
   b. enseigner les genres musicaux et la pratique d'un instrument.
   c. donner des leçons de chant et faire écouter des chanteurs.

2 ● Le professeur interroge les élèves sur...

    a. les chanteurs à la mode.   **b.** les instruments qu'ils pratiquent déjà.   **c.** leurs connaissances musicales.

3 ● Quels instruments utilise-t-on essentiellement dans le jazz ?

    ....

4 ● Où est apparu le rock ?

    a. En Angleterre.   **b.** Aux États-Unis.   **c.** En Afrique.

5 ● De quel genre musical, qui propose des chansons d'amour, parle Romain ?

    ....

6 ● Romain définit la musique technologique comme de la musique...

    a. qui a été transformée.   **b.** qu'on écoute seulement sur l'ordinateur.   **c.** qu'on écoutera dans le futur.

7 ● Quelle musique est créée par des grands compositeurs ?

    ....

8 ● Le professeur propose aux élèves...

    a. d'écouter tout de suite une œuvre classique.
    b. de parler d'un artiste qu'ils connaissent bien.
    c. de lui dire ce qu'ils veulent étudier.

Exercice 5 *Lisez les questions. Écoutez l'enregistrement puis répondez.*

1 ● Quentin propose à Florian...

    a. de participer à un concours de chant.
    b. de participer à un concours à l'école.
    c. d'organiser un concours scolaire.

2 ● Quand a lieu le concours ?

    ....

3 ● Quel est le prix, cette année ?

    a. Des places de cinéma.   **b.** Un voyage à Turin.   **c.** Une visite dans des studios de cinéma.

4 ● Pourquoi est-il difficile de gagner le prix ?

    ....

5 ● Quel est le thème du concours ?

    a. Les vacances.   **b.** Les films d'horreur.   **c.** La nature.

6 ● Quelle est l'idée de Quentin ?

    ....

7 ● Pourquoi Florian a-t-il des déguisements de monstres ?

    ....

8 ● Marine est...

    a. musicienne.   **b.** chanteuse.   **c.** productrice.

> Dans les questions à choix multiple, les mauvaises réponses essaient souvent de vous piéger. Elles reprennent des termes ou des expressions qui se trouvent dans le texte. Ne répondez pas trop vite !

//////// **II** **Dans un lieu public** //

Exercice 6 *Lisez les questions. Écoutez l'enregistrement puis répondez.* //////////////

1 ● Marine et Romain...

    a. visitent un musée.   **b.** visitent une ville étrangère.   **c.** font du shopping dans leur ville.

2 ● Devant quel monument sont-ils ?

    a. Le musée de la BD.   **b.** L'Atomium.   **c.** Le Manneken-Pis.

3 ● Marine est...

    a. émerveillée.   **b.** déçue.   **c.** fatiguée.

4 ● Qu'est-ce que Marine a préféré ?

    ....

5 ● Où Romain aimerait-il aller demain ?

    a. Au musée de l'automobile.   **b.** Au musée de la BD.   **c.** Au musée national de Bruxelles.

6 ● Quel musée ont-ils déjà visité ?

    ....

7 ● À quel endroit vont-ils dîner ce soir ?

    ....

Exercice 7 *Lisez les questions. Écoutez l'enregistrement puis répondez.* //////////////

1 ● Le groupe d'amis est au restaurant, ils veulent...

    a. commander le repas et calculer ce que cela va leur coûter.

    b. savoir ce qu'ils doivent payer car ils ont terminé.

    c. demander une réduction car les plats n'étaient pas bons.

2 ● Pourquoi Ludivine proteste-t-elle ?

    a. Elle ne veut pas payer trop.   **b.** Le service est trop lent.   **c.** Elle a encore faim.

3 ● Qu'a oublié de compter Ludivine ?

    ....

4 ● De quoi Aurore s'aperçoit-elle ?

    ....

5 ● Le serveur...

    a. refuse de vérifier.   **b.** offre le café aux trois amis.   **c.** demande des précisions au patron.

6 ● Ludivine est...

    a. déçue   **b.** satisfaite.   **c.** mécontente.

7 ● À quoi correspond le « prix du couvert » ?

....

Exercice 8 *Lisez les questions. Écoutez l'enregistrement puis répondez.* ///////////////////

1 ● Où sont Marie et Mathieu ?

....

2 ● Marie et Mathieu...

    a. avaient rendez-vous.   **b.** ne se sont pas reconnus.   **c.** se sont retrouvés par hasard.

3 ● Marie...

    a. a adoré le film.   **b.** n'a pas aimé le film.   **c.** est sortie avant la fin du film.

4 ● Qu'est-ce que Mathieu a aimé ? (Deux réponses attendues.)

    a. La violence.   **b.** Le suspense.   **c.** La fin du film.   **d.** La musique.   **e.** L'émotion.

5 ● Quels sont les deux genres de films que Marie aime voir, en général ?

....

6 ● Que propose Mathieu à Marie ?

    a. de manger un sandwich à la cafétéria.

    b. de voir un autre film avec elle.

    c. de parler de films de guerre avec son ami.

7 ● Quel est le point commun entre Mathieu et l'ami de Marie ?

....

Exercice 9 *Lisez les questions. Écoutez l'enregistrement puis répondez.* ///////////////////

1 ● Ingrid va passer son week-end...

    a. toute seule.   **b.** avec son frère.   **c.** avec Samuel.

2 ● D'habitude, qui surveille Ingrid et son frère quand les parents ne sont pas là ?

....

3 ● Ingrid a l'intention de...

    a. sortir tous les soirs.   **b.** organiser une soirée chez elle.   **c.** étudier tout le week-end.

4 ● Pourquoi l'expérience de Samuel n'a pas été très positive ?

    a. Sa sœur l'a empêché de sortir.   **b.** Les parents sont rentrés plus tôt que prévu.
    c. Il n'a pas pu faire ses devoirs.

5 ● Qu'a dit la sœur de Samuel à ses parents quand ils sont rentrés ? (Deux réponses attendues.)

....

6 ● Ingrid a une idée, elle va...

    a. inviter ses amis sans rien dire à son frère.

    b. demander à ses parents d'inviter des amis.

    c. finir tous ses devoirs avant le week-end.

7 ● Que va devoir faire le frère d'Ingrid ce week-end ?

....

III   À la maison

Exercice 10   *Lisez les questions. Écoutez l'enregistrement puis répondez.*

1 ● Loïc et sa mère parlent...

    a. des notes de Loïc.   **b.** des amis de l'école.   **c.** des professeurs.

2 ● En anglais, Loïc...

    a. s'est amélioré.   **b.** a toujours les mêmes notes.   **c.** a de mauvaises notes.

3 ● Comment Loïc a-t-il révisé l'anglais ?

....

4 ● Comment est le professeur de physique, d'après Loïc ?

....

5 ● La mère de Loïc pense que...

    a. Loïc n'est pas attentif en classe.   **b.** Loïc doit s'asseoir à côté de Mathias.   **c.** le professeur est trop sévère.

6 ● Que propose la mère de Loïc à la fin du dialogue ?

....

7 ● Quelle est l'opinion de la mère de Loïc sur Mathias ?

    a. positive puis négative.   **b.** négative puis positive.   **c.** toujours négative.

> Il s'agit d'une question qui porte sur tout le document. Dans le DELF, ce genre de question est souvent proposé à la fin.

Exercice 11   *Lisez les questions. Écoutez l'enregistrement puis répondez.*

1 ● De qui parlent Anaïs et son père ?

    a. Des parents d'Anaïs.   **b.** Des grands-parents d'Anaïs.   **c.** Des grands-parents du père d'Anaïs.

2 ● Quel était le métier d'Isidore ?

....

3 • Pourquoi était-il assez célèbre ?

....

4 • Où travaillait Gatienne dans sa jeunesse ?

    a. Dans le magasin d'Isidore.   **b.** À la ferme.   **c.** Dans un cinéma.

5 • Isidore venait d'une famille...

    a. de paysans.   **b.** de commerçants.   **c.** d'artistes.

6 • Quels problèmes ont rencontrés Gatienne et Isidore pour se marier ?

....

7 • Le magasin d'Isidore...

    a. existe toujours.   **b.** a été détruit il y a longtemps.   **c.** a été remplacé par une banque.

Exercice 12 *Lisez les questions. Écoutez l'enregistrement puis répondez.* ////////////////////////

1 • Antoine va organiser une fête chez lui parce que...

    a. ses parents ne sont pas là.   **b.** il a réussi son examen.   **c.** c'est son anniversaire.

2 • Que doit savoir Antoine avant d'organiser la fête ? (Deux réponses minimum.)

....

....

> Deux réponses sont attendues mais dans le document plusieurs réponses sont données. Vous pouvez donner plus de deux réponses. Cela vous donnera plus de chances d'obtenir des points.

3 • Qui va-t-il inviter ?

....

4 • Pourquoi doit-il faire beau ?

    a. Pour que les invités puissent venir à pied.
    b. Parce que la fête a lieu dans le jardin.
    c. Parce que les invités veulent se baigner.

5 • Quelle solution Antoine choisit-il pour le repas ?

    a. Il va cuisiner lui-même.   **b.** Sa mère va cuisiner.   **c.** Il va appeler un traiteur.

6 • Quelle animation est prévue pour la soirée ?

    a. On va danser.   **b.** On va regarder des films.   **c.** Il va y avoir un spectacle.

7 • Que va faire Margot pour aider Antoine ?

....

8 • À la fin, Antoine se sent...

    a. plus tranquille.   **b.** plutôt inquiet.   **c.** plutôt découragé.

Comprendre des conversations en français

Exercice 13 *Lisez les questions. Écoutez l'enregistrement puis répondez.* //////////////

1 • Qu'est-ce que Julia aimerait faire pendant son séjour à Montpellier ?

    a. Aller à la plage et se reposer.
    b. Rencontrer les amis d'Alix et sortir le soir.
    c. Visiter la ville et faire du shopping.

2 • Qu'est-ce qu'on peut voir à Montpellier ? (Deux réponses attendues.)

    ....

3 • Où se retrouvent les jeunes habituellement ?

    a. Dans des parcs ou des jardins de la ville.   **b.** Sur la grande place de la ville.   **c.** Près des sites universitaires.

4 • Pourquoi Alix veut emmener son amie au marché ?

    a. Pour acheter des souvenirs.
    b. Pour lui faire connaître les habitants de sa ville.
    c. Pour manger des spécialités de la ville.

5 • Que peut-on faire rue de la Loge ou rue de l'Aiguillerie ?

    ....

6 • Quelle est la particularité du jardin des plantes ? (Plusieurs réponses possibles.)

    ....

    ....

> Plusieurs réponses sont données dans le texte mais vous pouvez en fournir une seule : « quelle est la particularité... ».

7 • Julia est...

    a. enthousiaste.   **b.** déçue.   **c.** indécise.

Exercice 14 *Lisez les questions. Écoutez l'enregistrement puis répondez.* //////////////

1 • Léa revient...

    a. d'un séjour linguistique en Australie.   **b.** d'une journée ordinaire à l'école.   **c.** de sa première journée d'école.

2 • Pourquoi Léa préfère madame Gautier ?

    ....

3 • Léa a retrouvé...

    a. tous ses amis.   **b.** aucun ami.   **c.** tous ses amis sauf un.

4 • Dans quels pays Sarah a-t-elle vécu ? (Quatre réponses attendues.)

    ....

    ....

> Vous devez donner le nom de 4 pays.

5 ● Sarah a beaucoup voyagé...

    a. à cause de la profession de ses parents.
    b. parce que c'était le rêve de ses parents.
    c. parce que sa famille est riche.

6 ● Aujourd'hui, Sarah et Léa...

    a. sont restées plus tard à l'école.   **b.** ont visité le quartier.   **c.** ont rencontré les cousins de Léa.

7 ● Pourquoi Léa pense que Sarah ne sera pas libre ce week-end ?

....

IV **À la radio**

Exercice 15 *Lisez les questions. Écoutez l'enregistrement puis répondez.*

1 ● Pourquoi le parcours de Jean Dujardin est-il atypique ?

    a. Parce qu'il est dans le métier depuis quinze ans.
    b. Parce qu'il a joué des rôles très variés.
    c. Parce qu'il a changé de métier.

2 ● Quels étaient les sentiments de Jean Dujardin deux mois avant le film ?

    a. Il était fâché avec l'actrice principale.
    b. Il était indécis car on lui avait proposé de jouer dans un autre film.
    c. Il avait peur de ne pas réussir à jouer le rôle.

3 ● Qu'est-ce qui a convaincu Jean Dujardin de faire le film *The Artist* ?

    a. Le film allait lui permettre de gagner beaucoup d'argent.
    b. Le tournage avait lieu près de chez lui.
    c. Il allait travailler avec un réalisateur qu'il apprécie.

4 ● Quel prix a-t-il obtenu ?

....

5 ● Jean Dujardin trouve très agréable...

    a. d'être célèbre.   **b.** de tourner des films aux États-Unis.   **c.** d'être récompensé pour son travail.

6 ● Pour quel type de film avait-il déjà obtenu un prix ?

....

7 ● Jean Dujardin aime les rôles...

    a. faciles.   **b.** difficiles.   **c.** de personnages comiques.

8 ● Comment a-t-il commencé sa carrière ?

....

9 • Quel bénéfice en a-t-il tiré ?

    a. Il a acquis de bonnes techniques pour le métier d'acteur.

    b. Il a fait de bonnes connaissances dans le monde du spectacle.

    c. Il s'est beaucoup amusé.

Exercice 16 *Lisez les questions. Écoutez l'enregistrement puis répondez.*

1 • Dans cette émission, le journaliste parle de la vie de...

    a. deux adolescents qui ont des journées différentes.

    b. deux adolescents qui ont des loisirs différents.

    c. deux adolescents de pays différents.

2 • Comment Eddy définit-il sa vie ?

....

3 • Où habite Béa ?

    a. Dans une petite ville de Bretagne.   **b.** Au cœur d'une grande île.   **c.** Dans une grande ville.

4 • Relevez, dans ce tableau, deux points positifs et deux points négatifs dans les descriptions d'Eddy et de Béa.

	Eddy	Béa
Avantages	....	....
	....	....
Inconvénients	....	....
	....	....

Exercice 17 *Lisez les questions. Écoutez l'enregistrement puis répondez.*

1 • Quel est le but de cette émission ?

    a. Raconter une histoire d'amour.

    b. Choisir une chanson à la radio.

    c. Chanter en direct à la radio.

2 • Qu'est-ce que Clara aime chez la chanteuse Lise Serandour ?

....

3 • Pourquoi Clara aime la chanson « Dis-moi pourquoi » ?

....

4 ● Romain et Clara se sont rencontrés...

    a. à un anniversaire.   **b.** à un concert.   **c.** à la radio.

5 ● Clara...

    a. ne chante jamais.   **b.** chante de temps en temps.   **c.** chante tout le temps.

6 ● Que propose l'animateur à Clara ?

....

Exercice 18   *Lisez les questions. Écoutez l'enregistrement puis répondez.*

1 ● Quel est le but de cette émission ?

....

2 ● Julie a peur...

    a. parce que c'est la première fois qu'elle passe à la radio.

    b. que ses parents l'écoutent.

    c. parce qu'elle ne veut pas parler de son problème en public.

3 ● Qu'est-ce que Julie apprécie particulièrement dans cette émission ?

....

4 ● Quel est le problème de Julie ?

    a. Elle a peur de vieillir.   **b.** Elle n'a pas confiance en elle.   **c.** Ses parents la surveillent trop.

5 ● D'après l'animateur, que doivent accepter ses parents ?

....

6 ● Quel conseil l'animateur donne-t-il à Julie ?

....

Exercice 19   *Lisez les questions. Écoutez l'enregistrement puis répondez.*

1 ● Où a lieu l'interview ?

    a. Chez Anne-Laure Bechet.   **b.** Dans un grand atelier de couture.   **c.** Dans un studio de télévision.

2 ● Pourquoi Anne-Laure a choisi le stylisme ?

    a. Parce que sa mère était couturière.

    b. Parce qu'elle a toujours aimé faire des vêtements.

    c. Parce qu'elle regardait souvent des défilés de mode.

3 ● Qu'est-ce qui a aidé Anne-Laure dans sa carrière ?

....

4 • Quelle est la différence entre un styliste et un couturier ?

    a. Le couturier doit faire plus d'études.

    b. Le styliste devient plus facilement célèbre.

    c. Le styliste est un artiste plus libre de créer.

5 • Comment se définit Anne-Laure Bechet ?

    ....

6 • Anne-Laure fait des expositions et des défilés pour...

    a. faire connaître son travail.   **b.** connaître d'autres stylistes.   **c.** copier ce que font les autres.

7 • Comment doit être un styliste pour avoir des clients ?

    ....

8 • Quelle est la différence entre Anne-Laure et certains collègues ?

    ....

Exercice 20 *Lisez les questions. Écoutez l'enregistrement puis répondez.*

1 • Le thème de cette émission est...

    a. l'identité et le look chez les jeunes.

    b. l'image des jeunes sur Internet.

    c. le changement permanent de la mode.

2 • Élodie et Guillaume...

    a. ont la même opinion.

    b. ont une opinion différente.

    c. n'ont pas d'opinion.

3 • Que recherche Élodie ?

    ....

4 • Pourquoi Guillaume veut-il garder son look ?

    a. Il pense que c'est son identité.   **b.** Il n'aime aucun autre look.   **c.** Il a toujours eu ce look.

5 • Quel est le look de Guillaume ?

    ....

6 • Guillaume imagine que plus tard il sera...

    a. toujours le même.   **b.** peut-être différent.   **c.** comme son père.

7 • Du point de vue de Guillaume...

    a. tout le monde fait partie d'un groupe.

    b. faire partie d'un groupe n'a pas d'importance.

    c. quand on a un look, c'est pour la vie.

Partie 2

Comprendre des annonces et des émissions en français

I À la radio

Exercice 21 *Lisez les questions. Écoutez l'enregistrement puis répondez.*

1 • *Enterrement d'une vie de cancre* est...

    a. un documentaire sur l'adolescence.

    b. un roman sur la vie d'un jeune garçon.

    c. une fiction radiophonique sur les jeunes.

2 • Bruno est...

    a. un élève attentif.   **b.** un élève démotivé.   **c.** un élève timide.

3 • Qu'est-ce qui va changer le quotidien de Bruno ?

....

4 • Pourquoi Madeline est une fille originale ?

....

5 • Madeline...

    a. s'intéresse à Bruno.   **b.** ne s'intéresse pas à Bruno.   **c.** ne s'intéresse à rien.

6 • Que va-t-il arriver à Madeline ?

....

7 • Quelles sont les qualités de cet ouvrage, d'après le journaliste ? (Deux réponses attendues.)

    a. L'histoire est originale.

    b. L'histoire est réaliste.

    c. On s'identifie facilement aux personnages.

    d. Le thème est intéressant.

    e. Il n'y a qu'une centaine de pages.

8 • Quels sont les quatre principaux thèmes de l'histoire ?

....

Exercice 22 *Lisez les questions. Écoutez l'enregistrement puis répondez.*

1 • La journée sans tabac a lieu...

    a. tous les ans partout dans le monde.   **b.** 3 fois par an, en France.   **c.** tous les 3 ans, en France.

2 • Quel est le but de cette journée ? (Deux réponses attendues.)

....

3 • Que faut-il éviter pour ne pas recommencer à fumer ?

    a. De sortir, d'aller à des fêtes.   **b.** De boire du café.   **c.** De fréquenter des personnes qui fument.

4 ● Selon le médecin, l'arrêt du tabac est...

    a. seulement psychologique.   **b.** lié à la dépendance.   **c.** lié à la psychologie et à la dépendance.

5 ● Selon la journaliste, arrêter de fumer a un autre avantage, lequel ?

....

Exercice 23 *Lisez les questions. Écoutez l'enregistrement puis répondez.* ////////////

1 ● De quel jeu vidéo parle-t-on dans cette annonce ?

....

2 ● Lors de la conférence, les développeurs ont parlé...

    a. des modifications du jeu.   **b.** de la concurrence.   **c.** des nouvelles consoles de jeu vidéo.

3 ● Quelles ont été les ventes de la dernière version ?

Nombre de ventes pendant la première semaine :	....
Nombre de ventes depuis son lancement :	....
Nombre de parties jouées sur Internet :	....

4 ● La nouvelle version du jeu devrait...

    a. beaucoup ressembler à l'ancienne version.

    b. être assez différente de l'ancienne version.

    c. être très différente de l'ancienne version.

5 ● Les créateurs du jeu ont voulu...

    a. faire courir les joueurs plus vite.

    b. créer davantage de joueurs et d'équipes.

    c. rendre les actions des personnages plus réalistes.

6 ● Quelle amélioration annonce le journaliste ?

    a. le graphisme est meilleur.   **b.** l'animation est meilleure.   **c.** le prix est plus bas.

Exercice 24 *Lisez les questions. Écoutez l'enregistrement puis répondez.* ////////////

1 ● Cet article a pour objectif de démontrer que...

    a. les chiens sont capables de parler.

    b. les chiens comprennent plusieurs centaines de mots.

    c. les chiens sont plus intelligents que les hommes.

2 ● Pourquoi les maîtres de Rico ont cru avoir un chien particulier ?

....

3 ● À qui confient-ils leur chien ?

....

4 ● Les scientifiques ont découvert que Rico...

    a. préférait toujours prendre les objets inconnus.

    b. mémorisait de façon immédiate les mots inconnus.

    c. arrivait à prévoir les ordres des humains.

5 ● Pendant l'expérience, Rico...

    a. ne s'est jamais trompé.   **b.** ne s'est trompé que très rarement.   **c.** a fait plusieurs erreurs.

6 ● Quelle comparaison est faite avec l'intelligence des dauphins ?

....

Exercice 25 *Lisez les questions. Écoutez l'enregistrement puis répondez.* //////////////

1 ● Que dénonce-t-on dans ce bulletin ?

    a. La transformation des aliments par les industriels.

    b. Le manque d'information sur les produits transformés.

    c. L'indifférence des consommateurs à la manipulation des aliments.

2 ● « Le goût s'invente dans des éprouvettes » signifie que...

    a. on vend des aliments dans des petits tubes.

    b. le goût des aliments est de plus en plus artificiel.

    c. on apprend le goût aux enfants dès leur naissance.

3 ● Pourquoi ajoute-t-on du sucre dans les produits industriels ?

    a. Pour que les gens aient toujours envie de les manger.

    b. Pour les gens qui souffrent du manque de sucre.

    c. Pour que les aliments soient moins acides.

4 ● On transforme le goût en ajoutant du sucre mais aussi en ajoutant quels éléments ?

....

5 ● Que risque-t-on si on mange trop d'aliments transformés ?

....

6 ● Que font les consommateurs pour résister à ce phénomène ?

    a. Ils achètent des produits biologiques.   **b.** Ils cultivent leurs propres légumes.   **c.** Ils font un régime.

7 ● En conclusion, l'auteur veut dire que...

    a. si on veut bien manger on peut, c'est nous qui décidons.

    b. finalement les produits industriels ne sont pas tous mauvais.

    c. les laboratoires auront toujours plus de pouvoir sur notre alimentation.

Exercice 26 *Lisez les questions. Écoutez l'enregistrement puis répondez.*

1 • Peter de Sève est...

    a. dessinateur pour les dessins animés.

    b. dessinateur de bande dessinée.

    c. dessinateur de livres d'enfants.

2 • Qu'est-ce que Peter de Sève aime transmettre dans ses dessins ?

    a. Les émotions et le caractère des personnages.

    b. La beauté des paysages.

    c. Les grands moments de l'histoire.

3 • Qui décide de l'aspect des personnages ?

    a. Le dessinateur.   **b.** Les scénaristes.   **c.** Le public.

4 • Pourquoi les dessins des personnages sont-ils transformés en moulage ?

    a. Pour que les animateurs les utilisent en 3D.

    b. Pour fabriquer des statuettes et les vendre.

    c. Pour mieux conserver les dessins.

5 • Pour créer ses personnages, Peter de Sève s'inspire de...

    a. ses travaux précédents.   **b.** de personnes réelles.   **c.** d'autres personnages de dessins animés.

6 • Peter de Sève travaille...

    a. seulement sur *L'Âge de glace 4*.

    b. sur de nombreux projets.

    c. déjà pour le prochain épisode de *L'Âge de glace*.

Exercice 27 *Lisez les questions. Écoutez l'enregistrement puis répondez.*

1 • Cette émission traite...

    a. du problème de surpoids et des solutions possibles.

    b. des conséquences du surpoids.

    c. des progrès de la médecine dans ce domaine.

2 • Quel est le métier de l'invitée ?

....

3 • Quelles sont les trois causes du surpoids d'après la professeur Haldig ?

....

4 • Actuellement, où observe-t-on une croissance de personnes en surpoids ?

....

5 ● À Ouagadougou, des personnes sont en surpoids à cause...

  a. de la consommation de produits gras et salés.
  b. du stress causé par les touristes occidentaux.
  c. d'un changement de consommation alimentaire.

6 ● Les régimes pour le grand public sont...

  a. très efficaces. **b.** complètement inefficaces. **c.** presque tous inefficaces.

7 ● D'après la professeur Haldig, quelles sont les particularités de ces régimes ?

  ....

8 ● Le traitement de la professeur Haldig... (Deux réponses attendues.)

  a. interdit un certain nombre d'aliments.
  b. s'adapte aux habitudes culturelles et familiales.
  c. aide les patients à connaître leurs besoins.
  d. propose une recette miracle particulièrement efficace.
  e. est plus économique que les autres traitements.

Exercice 28 *Lisez les questions. Écoutez l'enregistrement puis répondez.*

1 ● Aujourd'hui, les vacances d'été consistent surtout à...

  a. rester à la maison pour se reposer. **b.** rester à la maison pour étudier. **c.** partir puis étudier.

2 ● Citez deux possibilités de vacances chez les jeunes.

  ....

3 ● D'après certains parents, qu'est-ce qui permet aux enfants de développer leur autonomie ?

  ....

4 ● Comment étudient les jeunes pendant l'été ?

  a. Avec les cahiers de vacances ou des cours de révision.
  b. Tous seuls avec leurs livres de classe.
  c. Avec leurs parents ou un grand frère/une grande sœur.

5 ● Que peuvent faire les jeunes qui ont besoin d'indépendance et de découvrir une autre culture ?

  ....

6 ● Remplissez ce tableau en écrivant quelques mots ou une courte phrase explicative.

Planning des vacances d'Alicia	
Où ?	**Quoi ?**
a.	....
b.	....
c.	....

Comprendre des annonces et des émissions en français

Exercice 29 *Lisez les questions. Écoutez l'enregistrement puis répondez.*

1 ● À qui s'adresse cette émission ?

    a. Aux adolescents.   **b.** Aux parents.   **c.** Aux animateurs.

2 ● Remplissez le tableau.

Le loisir préféré des garçons	Le loisir préféré des filles
....	....

3 ● D'après le sondage, quelle est la seconde activité préférée des jeunes filles ?

....

4 ● Quels sont les loisirs de Myriam ? (Trois réponses attendues.)

....

5 ● Myriam a arrêté certaines activités, pourquoi ? (Deux réponses attendues.)

    a. Parce qu'elle n'avait pas le temps.

    b. Parce que ça coûtait trop cher.

    c. Parce que ses parents ne voulaient pas.

    d. Pour avoir plus de liberté.

    e. Pour s'inscrire à de nouvelles activités.

6 ● Pourquoi, pour Christopher, le tennis n'est pas un loisir ?

....

7 ● Quelle serait la soirée idéale pour Christopher ?

    a. Une soirée sans les parents.   **b.** Une soirée libre et non planifiée.   **c.** Une soirée seul devant la télévision.

II   Dans un lieu public

Exercice 30 *Lisez les questions. Écoutez l'enregistrement puis répondez.*

1 ● Cette annonce permet de savoir...

    a. les horaires et les résumés des films.

    b. les prochaines sorties au cinéma.

    c. les critiques des films.

2 ● Quel est le genre du film *Français pour débutant* ?

....

3 ● Que pense Henrik des Français ?

    a. Ils mangent d'excellentes baguettes.

    b. Ils sont arrogants.

    c. Ils sont romantiques.

4 ● Dans *Français pour débutant*, quels sont les points positifs du voyage d'Henrik ?

....

5 ● Jo aimerait que son fils soit rugbyman car...

    a. lui-même aurait aimé être une légende du rugby.

    b. c'est le sport le plus pratiqué dans le village.

    c. tous les hommes de la famille sont des champions.

6 ● Quels sont les deux personnages principaux du film *Le frelon vert* ?

....

Exercice 31 *Lisez les questions. Écoutez l'enregistrement puis répondez.*

1 ● Les promotions au magasin *Toupacher* concernent surtout...

    a. les produits alimentaires.   **b.** les articles d'habillement.   **c.** les articles électroniques.

2 ● Qu'est-ce qui change, au supermarché, pendant les promotions ?

....

3 ● Quel service est mis à disposition des clients pendant la période de promotions ?

    a. Une carte de fidélité pour accéder aux promotions.

    b. Un site Internet pour consulter tous les produits en promotion.

    c. Un point information avec des hôtesses d'accueil.

4 ● Quelle aide va apporter ce service ? (Deux réponses attendues.)

....

5 ● Comment peut-on participer au concours ? Donnez les différentes étapes.

    a. ....   **b.** ....   **c.** ....

6 ● Le concours permet de gagner...

    a. Un bon d'achat au rayon alimentaire.

    b. Une entrée pour une journée dans un centre de relaxation.

    c. Un séjour de remise en forme.

Comprendre des annonces et des émissions en français

Exercice 32 *Lisez les questions. Écoutez l'enregistrement puis répondez.* ///////////////////////

1 ● Cette annonce présente un concours...

   a. à échelle nationale.   **b.** à échelle régionale.   **c.** au sein de l'école.

2 ● Que faut-il faire pour s'inscrire ?

....

3 ● Quelles sont les quatre catégories ?

....

4 ● Les projets qui proposent plusieurs disciplines sont...

   a. autorisés.   **b.** interdits.   **c.** conseillés.

5 ● Combien de photos pouvez-vous présenter ?

....

6 ● Quel est le thème du concours ?

....

7 ● Quelle est la date limite d'inscription ?

....

Exercice 33 *Lisez les questions. Écoutez l'enregistrement puis répondez.* ///////////////////////

1 ● Le thème de ce festival est...

   a. la bande dessinée sous toutes ses formes.   **b.** le manga.   **c.** le dessin sur ordinateur.

2 ● Qui sera présent dans les stands du festival ?

....

3 ● Pour avoir la signature des auteurs vous devez aller...

   a. à partir de 10 h, au café *Rencontre*.
   b. à partir de 15 h, dans le hall.
   c. à partir de 18 h, au Salon *Obélix*.

4 ● Quelles sont les pratiques artistiques présentes dans le spectacle de Paul Mugati ?

....

5 ● Où devez-vous aller si vous voulez présenter vos créations ?

....

6 ● L'activité *Dessine-moi une histoire* est un projet...

    a. de dessin individuel.   **b.** de dessin collectif sur ordinateur.   **c.** de collage collectif sur une toile géante.

7 ● Que faut-il faire pour y participer ?

....

8 ● Quels sont les prix du concours *À vos planches* ? (Deux réponses attendues.)

....

Exercice 34 *Lisez les questions. Écoutez l'enregistrement puis répondez.* /////////////////

1 ● Le parc *Looping* est ouvert...

    a. toute l'année.   **b.** uniquement l'été.   **c.** l'été et pendant les vacances.

2 ● Le parc *Looping* est...

    a. le plus grand d'Europe.   **b.** le plus grand de France.   **c.** le plus grand de la région.

3 ● Quelles sont les attractions les plus classiques ? (Deux réponses attendues.)

....

4 ● Le simulateur *Xmac3* permet...

    a. de stimuler ses 5 sens au cinéma.

    b. de voir un film en 3D sans lunettes.

    c. de voir un film en 3D chez soi.

5 ● Que se passe-t-il dans l'attraction *L'Adrénaline* ?

....

6 ● À quel endroit pouvez-vous manger après 21 h 45 ?

....

7 ● Quels artistes participent au spectacle de son et lumière ?

....

Exercice 35 *Lisez les questions. Écoutez l'enregistrement puis répondez.* /////////////////

1 ● Comment Elisabeth Spark a-t-elle commencé sa carrière ?

    a. En jouant dans le groupe *Les chats noirs*.

    b. En prenant des cours de musique.

    c. En jouant en solo dans les cafés de Paris.

2 ● À 20 ans, Elisabeth Spark était...

a. musicienne.   **b.** chanteuse.   **c.** étudiante.

3 ● Qui étaient ses voisins ?

....

4 ● Comment a-t-elle rencontré ses voisins ?

....

5 ● Pourquoi Elisabeth a-t-elle intégré le groupe ?

....

6 ● Pourquoi Elisabeth Spark est-elle allée au conservatoire de musique ?

....

Exercice 36 *Lisez les questions. Écoutez l'enregistrement puis répondez.* ////////////////////////

1 ● La personne qui parle est...

a. un conférencier.   **b.** un agriculteur.   **c.** un nutritionniste.

2 ● Manger bio est bon pour la santé car...

a. les produits ne sont pas importés.
b. il n'y a pas de résidus chimiques.
c. ils proviennent d'une agriculture locale.

3 ● Pourquoi conseille-t-il de manger les légumes bios avec la peau ?

....

4 ● Les légumes bios ont une qualité nutritionnelle...

a. supérieure   **b.** égale   **c.** inférieure
...à ceux issus de l'agriculture conventionnelle.

5 ● Pourquoi les produits biologiques sont bons pour les enfants en bas âge ?

....

6 ● Quels sont les deux autres avantages des produits biologiques ?

....

7 ● Quelle est la différence de prix pour l'achat de six œufs ?

Acheter 6 œufs biologiques coûte...

a. 30 % plus cher   **b.** 45 centimes de plus   **c.** 45 centimes de moins
...que ceux issus de l'agriculture conventionnelle.

Épreuve blanche de compréhension orale

... / 25 points

Vous allez entendre 3 documents sonores, correspondant à 3 exercices.
Pour le premier et le deuxième document, vous aurez :

- 30 secondes pour lire les questions ;
- une première écoute, puis 30 secondes de pause pour commencer à répondre aux questions ;
- une deuxième écoute, puis 1 minute de pause pour compléter vos réponses.

Répondez aux questions en cochant (✓) la bonne réponse ou en écrivant l'information demandée.

Exercice 1 *Lisez les questions. Écoutez l'enregistrement puis répondez.*

... / 6 points

1 • Fred veut des informations sur les délégués parce que...   ... / 1 point

> En général, les questions à choix multiple sont sur un point.

    a. il veut devenir lui-même délégué.   **b.** cela l'aidera à choisir le délégué de sa classe.
    c. il doit expliquer ce que c'est à ses camarades de classe.

2 • Pourquoi a-t-il demandé à Zora ?   ... / 1 point

....

3 • Que pense Zora de l'initiative de Fred ?   ... / 1 point

    a. Elle pense que ça va être difficile pour lui.   **b.** Elle pense que c'est très bien de s'intéresser à sa classe.
    c. Elle ne donne pas d'opinion.

4 • Qui doit voter pour le délégué ?   ... / 1 point

....

5 • Quel est le rôle principal du délégué de classe ?   ... / 1 point

    a. Organiser les réunions de conseils de classe.
    b. Être un intermédiaire entre ses camarades et les professeurs.
    c. Donner des conseils à ses camarades quand ils sont en difficulté.

6 • Lors de la réunion avec tous les délégués de l'école, on parle...   ... /1 point
    a. du rôle des délégués.   **b.** du travail à l'école.   **c.** des problèmes de cantine.

Exercice 2 *Lisez les questions. Écoutez l'enregistrement puis répondez.*

... / 8 points

1 • Cette annonce informe de la sortie...   ... / 1 point
    a. d'un film au cinéma.   **b.** d'un film en DVD.   **c.** d'une bande dessinée.

2 • À quel public est destiné *L'Âge de glace* ? (Deux réponses attendues.)   ... / 2 points

> 1 point par bonne réponse.

....

3 ● Quel est le genre de *L'Âge de glace* ? ... / 1 point

   a. Aventure et suspense.   **b.** Aventure et comique.   **c.** Aventure et science-fiction.

4 ● *L'Âge de glace* raconte... ... / 1 point

   a. comment Diego le tigre rencontre son amour.
   b. le voyage des trois personnages vers la terre.
   c. des batailles entre pirates et de terribles créatures marines.

5 ● Citez deux nouveaux personnages de *L'Âge de glace*. (Deux réponses attendues.) ... / 2 points

   ....

6 ● Le personnage de Scrat, l'écureuil... ... / 1 point

   a. provoque toujours des catastrophes.
   b. empêche les amis de rentrer chez eux.
   c. est bloqué sur un iceberg.

Exercice 3 *Lisez les questions. Écoutez l'enregistrement puis répondez.* ///////////////////////////

... / 11 points

1 ● L'exposition a lieu... ... / 1 point

   a. au musée Henri Matisse.   **b.** au musée Georges Pompidou.   **c.** au musée d'Art Contemporain.

2 ● Quelles sont les couleurs préférées d'Henri Matisse ? ... / 1 point

   a. Les couleurs sombres.   **b.** Les couleurs claires et pastel.   **c.** Les couleurs vives.

3 ● Comment Henri Matisse a-t-il eu envie de peindre ? ... / 1 point

   a. En regardant sa mère qui était peintre.
   b. Après avoir visité l'atelier d'un peintre.
   c. Grâce à un cadeau de sa mère lorsqu'il était malade.

4 ● Comment a-t-il appris son art ? ... / 1 point

   a. Tout seul.   **b.** En suivant un cours de dessin.   **c.** Avec sa mère.

5 ● Qu'est-ce que le fauvisme ? ... / 2 points

   ....

6 ● Quelles couleurs Matisse utilisait-il le plus souvent ? (Donner au moins trois réponses.) ... / 3 points

   ....

7 ● Pour cette exposition, les tableaux proviennent... ... / 1 point

   a. de plusieurs musées français.   **b.** de plusieurs musées du monde entier.
   c. du musée Matisse uniquement.

8 ● Que peut-on faire pour s'informer sur le peintre ? ... / 1 point

   ....

Compréhension écrite

L'épreuve de compréhension écrite

Conseils pratiques

La compréhension écrite, qu'est-ce que c'est ?

La compréhension écrite est le deuxième exercice des épreuves collectives. Vous devez lire plusieurs documents et identifier des informations afin d'accomplir une tâche ou de répondre à plusieurs questions.

Combien de temps dure la compréhension écrite ?

La compréhension écrite dure 35 minutes. Comptez environ un quart d'heure pour chaque exercice. Il est important de faire attention au temps car cette épreuve est suivie de la production écrite.

Comment dois-je répondre ?

Le surveillant de la salle d'examen distribue la copie d'examen à tous les candidats. Vous devez écrire vos réponses sur cette copie dans la partie prévue pour cet exercice (de la page 5 à la page 9, en général).

Combien y a-t-il d'exercices ?

Il y a 2 exercices.

Exercices	Types d'exercice	Questions	Nombre de points
Exercice 1	Comprendre des annonces, sélectionner des informations utiles et faire un choix pour accomplir une tâche donnée.	Il y a **4 annonces ou publicités**. Selon la situation de départ et les critères à respecter (5 critères en général) proposés dans la consigne, le candidat doit croiser un certain nombre d'informations. Il doit **remplir un tableau** en indiquant à l'aide de croix (**cocher 20 cases**) si l'annonce correspond ou non aux critères énoncés. Il doit enfin choisir et indiquer l'annonce qui permet d'accomplir correctement la tâche demandée (celle qui a le plus de croix dans la colonne « OUI »).	10 points
Exercice 2	Comprendre un texte informatif, répondre à des questions de compréhension globale et de compréhension détaillée.	• **8 à 10 questions** Types de questions : • des questions à choix multiple (choix entre plusieurs réponses) ; • des questions ouvertes : il est nécessaire de rédiger une réponse ; • des vrai/faux avec justification (dire si l'affirmation donnée est vraie ou fausse puis justifier en recopiant une phrase du texte).	15 points

Conseils du coach

1. Attention, dans l'exercice n°1, le **choix final doit être cohérent** avec les réponses dans le tableau. L'annonce ayant le plus de croix devrait correspondre à l'annonce choisie.

2. Dans l'exercice n°1, veillez à n'indiquer **qu'une seule croix par critère et par annonce**.

3. Pour les questions *vrai/faux/justification*, vous devez justifier avec une phrase du texte. **Recopiez la phrase, ne reformulez pas.**

4. Pour les questions *vrai/faux/justification*, il est important que la phrase de justification tirée du texte soit **cohérente avec la réponse** *vrai/faux*.

5. Attention aux *pièges* ! Parfois la réponse peut paraître évidente après une lecture rapide mais une **seconde lecture** vous aidera à répondre correctement.

6. Ne répondez pas trop vite aux questions, vous avez suffisamment de temps, **il faut toujours vérifier ses réponses**.

7. Dans les questions à choix multiple, **cochez une seule réponse** sauf s'il est précisé sur le livret que plusieurs réponses sont correctes.

8. Si vous ne comprenez pas un mot, **pas de panique**. La compréhension de ce mot n'est pas forcément nécessaire pour répondre aux questions. Peut-être que vous comprendrez ce mot avec le sens de la phrase.

9. **Attention à l'écriture et à l'orthographe** ; vos réponses doivent être lisibles et compréhensibles ! Surtout lorsque vous devez recopier un mot du texte.

Lire pour s'orienter - accomplir une tâche

Dans cet exercice, il faut bien identifier et mémoriser les éléments importants de la situation de départ et les rechercher dans chaque annonce.

I Dans le cadre de l'école

Exercice 1 *Répondez aux questions, en cochant (✓) la bonne réponse ou en écrivant l'information demandée.*

Votre école propose plusieurs voyages scolaires d'une semaine. Avec votre classe et votre professeur, vous choisissez une de ces sorties selon les critères suivants :

- la sortie doit avoir lieu entre mars et mai ;
- le professeur veut vous faire découvrir la nature ;
- les élèves veulent faire des activités sportives ;
- vous cherchez un lieu où il est possible de dormir, de manger le soir et éventuellement d'avoir un pique-nique le midi ;
- le budget par élève est de 400 € tout compris.

Ici, par exemple, il faudra être attentif, dans les 4 annonces, aux dates, au thème, aux activités sportives, à l'hébergement et repas et au prix.

Vous consultez les quatre annonces que le professeur vous a distribuées.

Classe découverte sciences

Situation
Au Pays de Conques et Marcillac, au cœur du roman et du vignoble.

Activités
L'Oustal - Pont-les-Bains :
Classes
« Cycle de l'Eau mission H20 »,
« Vendanges »,
« Études des insectes ».

Conditions d'accueil
En pension complète - Séjour de 2 nuits minimum à 12 jours. Tous les repas (midi et soir) se font au centre — Nous ne fournissons pas de sandwich à midi en cas de sortie à l'extérieur.

Formule / Prix
Prix indicatif pour 5 jours/4 nuits suivant le programme choisi : 195 € à 215 € + 75 € pour le transport/élève.

Dates du séjour
Du 2 au 7 mai.

Classe verte - À la découverte de la flore

Un environnement privilégié en bordure du Lot avec hébergement, restauration, activités, visites. Activités nautiques et sportives, découverte du patrimoine rural et ateliers bien agir pour la planète.

Activités

Sports nature : canoë-kayak, aviron, voile, VTT, course d'orientation.
Patrimoine rural : jardin des nénuphars, commanderie des Templiers, usine de pruneaux, marchés locaux.

Conditions d'accueil

Hébergement dans les locaux du Centre d'accueil. Chambres de 3 à 5 lits avec salle de bains pour les enfants.

Formule / Prix	Date du séjour
En pension complète (casse-croûte pour le midi) avec activités et visites : 300 €/ élève + 50 € pour aller/retour en train.	Dernière semaine d'avril.

Classe de neige

Situation

Dans un village de montagne, au cœur de la Vallée de l'Oisans à 750 m, venez apprécier le calme.

Activités

Ski de piste, ski de fond, snowboard, raquettes, luges.

Conditions d'accueil

Demi-pension (hébergement + repas du soir). Possibilité de panier pique-nique le midi.

12 chambres de 2 à 6 personnes, 6 douches, 5 WC, salon avec TV et bibliothèques.

Formule / Prix

500 €/élève/semaine tout compris (équipement, hébergement et repas, activités, transport).

Dates possibles du séjour

8/02-15/02 / 9/03-16/03

STAGE ARTISTIQUE

Reconstitution unique au monde d'un fastueux palais de la **Grèce Antique**, la Villa grecque Kérylos invite les groupes scolaires à se plonger dans la vie quotidienne d'une demeure dans l'Antiquité grecque.

Les ateliers ludiques, le Club d'Ulysse et les visites pédagogiques permettent une découverte adaptée aux jeunes de 12 à 17 ans, autour de l'écriture, des épopées héroïques, du théâtre, de la mythologie... de septembre à février.

Possibilité de visiter la Villa Éphrussi.

Possibilité de repas midi et soir, pas d'hébergement.

Nous contacter pour les listes d'hôtels ou des centres d'accueil (possibilité à Nice à 50€/pers).

Formule/Prix : 200 €/élève.

	Classe sciences		Classe verte		Classe de neige		Stage artistique	
	OUI	NON	OUI	NON	OUI	NON	OUI	NON
Dates								
Thème								
Activités								
Hébergement/Repas								
Tarifs								

Quel séjour choisissez-vous ?

....

....

> Vous devez choisir l'annonce qui compte le plus de croix.

Exercice 2 *Répondez aux questions, en cochant (✓) la bonne réponse ou en écrivant l'information demandée.* ///

Vous êtes à l'école Saint-Exupéry, dans le centre-ville de Lyon, pour un échange scolaire. Vous recherchez un lieu où déjeuner avec vos amis, sachant que :

- on est lundi ;
- vous devez déjeuner entre 13 h et 14 h ;
- votre budget est de 10 € par personne ;
- votre ami Hugo ne mange pas de viande ;
- vous voulez déjeuner près de l'école.

Vous lisez ces quatre annonces sur Internet.

SNACK *Au bahut*

En face de l'école Saint-Exupéry, le **Snack** *Au bahut* vous propose un grand choix de restauration rapide à petits prix (hamburger/frites, hotdog, brochettes, sodas, glaces, gaufres, etc.), dans une ambiance décontractée.

PROMOTION SPÉCIALE pour tous les élèves de l'école Saint-Exupéry avec le menu *Au bahut* : un sandwich steak-frites, un soda et un dessert pour seulement 6,80 € !

Ouvert tous les jours sauf le dimanche de 11 h à 19 h.

Pâtes à emporter

Oubliez les snacks et cafétérias et découvrez le nouveau concept des pâtes à emporter de **7 à 13 euros !**

Vous choisissez tout ! Votre fromage et vos ingrédients supplémentaires (tomates fraîches, olives, oignons frits, épices…), le type de pâtes et la cuisson. Pour compléter votre repas, nous vous proposons aussi un grand choix de desserts (tartes, gâteaux au chocolat, compote de pommes, salade de fruits, etc.).

Ouvert du mardi au dimanche de 10 h à 23 h.

Découvrez notre nouveau local en plein centre de la ville (entre la mairie et l'école Saint-Exupéry).

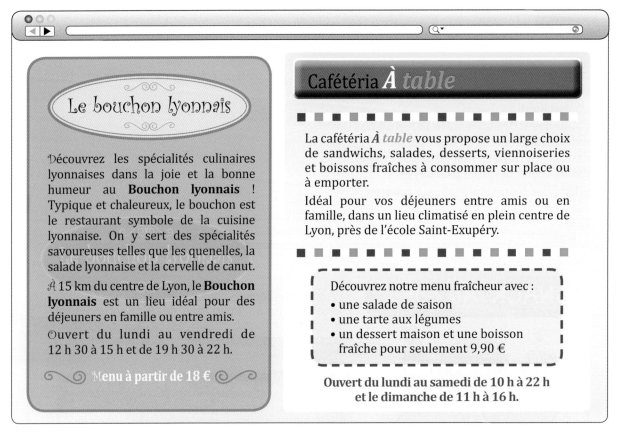

Le bouchon lyonnais

Découvrez les spécialités culinaires lyonnaises dans la joie et la bonne humeur au **Bouchon lyonnais** ! Typique et chaleureux, le bouchon est le restaurant symbole de la cuisine lyonnaise. On y sert des spécialités savoureuses telles que les quenelles, la salade lyonnaise et la cervelle de canut.

A 15 km du centre de Lyon, le **Bouchon lyonnais** est un lieu idéal pour des déjeuners en famille ou entre amis.

Ouvert du lundi au vendredi de 12 h 30 à 15 h et de 19 h 30 à 22 h.

Menu à partir de 18 €

Cafétéria À table

La cafétéria À table vous propose un large choix de sandwichs, salades, desserts, viennoiseries et boissons fraîches à consommer sur place ou à emporter.

Idéal pour vos déjeuners entre amis ou en famille, dans un lieu climatisé en plein centre de Lyon, près de l'école Saint-Exupéry.

Découvrez notre menu fraîcheur avec :
- une salade de saison
- une tarte aux légumes
- un dessert maison et une boisson fraîche pour seulement 9,90 €

Ouvert du lundi au samedi de 10 h à 22 h et le dimanche de 11 h à 16 h.

	SNACK *Au bahut*		Pâtes à emporter		Le bouchon lyonnais		Cafétéria *À table*	
	OUI	NON	OUI	NON	OUI	NON	OUI	NON
Jour								
Horaire								
Prix								
Menu								
Localisation								

Quel lieu choisissez-vous pour déjeuner ?

....

Exercice 3 *Répondez aux questions, en cochant (✓) la bonne réponse ou en écrivant l'information demandée.* ///

Avant de vous rendre à la journée des métiers de votre lycée, vous voulez sélectionner, sur la liste des professionnels qui seront présents, le métier qui correspond le plus à vos exigences.

- Vous voulez faire 3 ans d'études universitaires maximum (bac + 3).
- Vous aimeriez travailler à l'étranger.
- Le salaire doit être de 1 400 € minimum.
- Vous ne voulez pas travailler de nuit.
- Vous aimez le contact et le travail en équipe.

Vous lisez ces quatre fiches métiers dans la brochure de présentation de la journée des métiers.

Designer

Compétences requises
Curiosité et organisation

Toujours à l'affût d'une nouvelle idée, il est curieux, ouvert et imaginatif. Ses capacités d'écoute et d'anticipation, son aptitude à se remettre en question... facilitent le travail en équipe. Pas question, en effet, de se laisser distancer par la concurrence. Au programme du métier : analyse, synthèse et organisation, 8 à 10 h de travail par jour.
Très bon dessinateur, le designer maîtrise aussi la conception assistée par ordinateur (CAO).
Niveau d'accès : bac + 2
Salaire débutant : 1 300 €

Guide-interprète

Animation et pédagogie

Le guide-interprète est un pédagogue capable de s'adapter aux différents publics. Autonome et dynamique, il sait faire face aux imprévus, car il doit passer la journée avec les touristes. Par ailleurs, il possède une excellente mémoire pour commenter sa visite sans trop s'aider de ses notes. Le guide-interprète maîtrise au moins une langue étrangère pour communiquer plus facilement avec les touristes étrangers. Il connaît parfaitement le site, la ville ou la région qu'il fait découvrir. Il est prêt à voyager dans son pays et à l'étranger.
Niveau d'accès : bac + 3
Salaire de départ : 1 400 €

Hôtesse de l'air / Stewart

Compétences requises
Maîtrise de soi et disponibilité

Présentation irréprochable, courtoisie, disponibilité et adaptabilité représentent les premières qualités des professionnels navigants. Les hôtesses de l'air et stewards doivent impérativement avoir une bonne résistance physique. Il n'y a pas d'horaires définis, on peut travailler des journées entières. Il doit bien s'entendre avec le reste du personnel de vol.
Pratique de plusieurs langues.
Appelé à voyager aux quatre coins du monde.
Niveau d'accès : bac ou équivalent
Salaire débutant : 1 500 €

Chirurgien

Habileté et résistance

Tel un pilote d'avion, il peut compter sur une très grande résistance physique et nerveuse, une parfaite santé et une bonne vue. Il doit affronter de lourdes journées et travailler la nuit.
Le chirurgien doit prendre en compte le patient. Sens du contact, empathie et charisme bienvenus.
Prendre en charge des vies humaines exige un goût affirmé pour la prise de responsabilités et la bonne gestion de l'équipe qui travaille avec lui.
Niveau d'accès : bac + 9
Salaire : minimum 2 000 €

	Designer		Guide-interprète		Hôtesse/Stewart		Chirurgien	
	OUI	NON	OUI	NON	OUI	NON	OUI	NON
Années d'études								
Possibilité de travailler à l'étranger								
Salaire								
Horaires de travail								
Travail d'équipe/capacité d'adaptation								

Quelle solution choisissez-vous ?

....

Lire pour s'orienter - accomplir une tâche

Exercice 4 *Répondez aux questions, en cochant (✓) la bonne réponse ou en écrivant l'information demandée.* ///

Vous êtes dans une famille d'accueil, dans le centre-ville de Bordeaux, pour un échange scolaire. Vous recherchez un magasin pour acheter des fournitures scolaires, sachant que :

- nous sommes lundi ;
- vous devez avoir vos fournitures scolaires pour le lendemain matin ;
- vous recherchez une trousse et une calculatrice ;
- vous cherchez un magasin près de votre hébergement ;
- votre budget est de 50 €.

Vous avez lu ces quatre annonces sur Internet.

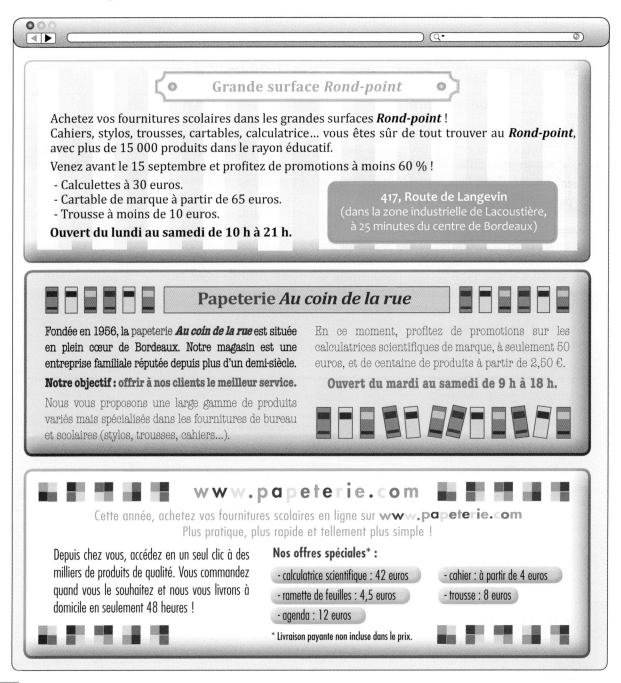

Grande surface *Rond-point*

Achetez vos fournitures scolaires dans les grandes surfaces **Rond-point** !
Cahiers, stylos, trousses, cartables, calculatrice… vous êtes sûr de tout trouver au **Rond-point**, avec plus de 15 000 produits dans le rayon éducatif.

Venez avant le 15 septembre et profitez de promotions à moins 60 % !

- Calculettes à 30 euros.
- Cartable de marque à partir de 65 euros.
- Trousse à moins de 10 euros.

Ouvert du lundi au samedi de 10 h à 21 h.

417, Route de Langevin
(dans la zone industrielle de Lacoustière,
à 25 minutes du centre de Bordeaux)

Papeterie *Au coin de la rue*

Fondée en 1956, la papeterie **Au coin de la rue** est située en plein cœur de Bordeaux. Notre magasin est une entreprise familiale réputée depuis plus d'un demi-siècle.
Notre objectif : offrir à nos clients le meilleur service.

Nous vous proposons une large gamme de produits variés mais spécialisés dans les fournitures de bureau et scolaires (stylos, trousses, cahiers…).

En ce moment, profitez de promotions sur les calculatrices scientifiques de marque, à seulement 50 euros, et de centaine de produits à partir de 2,50 €.

Ouvert du mardi au samedi de 9 h à 18 h.

www.papeterie.com

Cette année, achetez vos fournitures scolaires en ligne sur **www.papeterie.com**
Plus pratique, plus rapide et tellement plus simple !

Depuis chez vous, accédez en un seul clic à des milliers de produits de qualité. Vous commandez quand vous le souhaitez et nous vous livrons à domicile en seulement 48 heures !

Nos offres spéciales* :

- calculatrice scientifique : 42 euros
- ramette de feuilles : 4,5 euros
- agenda : 12 euros
- cahier : à partir de 4 euros
- trousse : 8 euros

* Livraison payante non incluse dans le prix.

Papeterie *Au collégien écolo*

Devenez un collégien écolo en utilisant des fournitures scolaires respectueuses de l'environnement !

Découvrez notre grande collection de produits 100 % écolos à petit prix.

- Agenda en papier recyclé : 15 euros.
- Calculatrice à énergie solaire : 25 euros.
- Piles rechargeables par port USB : 12 euros.
- Trousse en carton peint à 8 euros.

Et des centaines d'autres articles à découvrir dans notre boutique, située au centre-ville de Bordeaux, très facilement accessible depuis tous les lieux de la ville.

Ouvert de 9 h à 12 h 30 et de 15 h à 19 h 30 tous les jours sauf le dimanche.

	Grande surface *Rond-point*		Papeterie *Au coin de la rue*		www.papeterie.com		Papeterie *Au collégien écolo*	
	OUI	NON	OUI	NON	OUI	NON	OUI	NON
Jour								
Délai								
Matériel recherché								
Localisation								
Budget								

Quel magasin choisissez-vous ?

....

Exercice 5 *Répondez aux questions, en cochant (✓) la bonne réponse ou en écrivant l'information demandée.*

Vous voulez vous inscrire à une activité sportive pour toute l'année. Vous choisissez selon les critères suivants :

- vous êtes libre le soir de 17 h à 19 h ;
- vous ne voulez pas acheter d'équipement particulier (en plus des vêtements de sport habituels) ;
- vous préférez les sports individuels ;
- vous voulez faire des compétitions ;
- vous ne voulez pas dépenser plus de 100 € en tout pour l'année.

Vous lisez ces quatre annonces sur Internet.

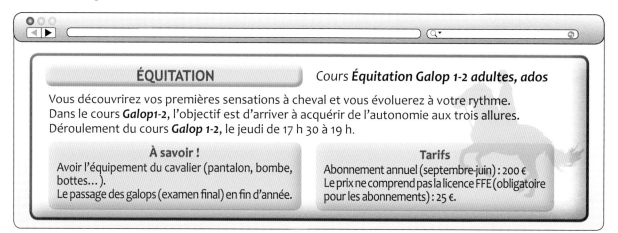

ÉQUITATION — Cours *Équitation Galop 1-2 adultes, ados*

Vous découvrirez vos premières sensations à cheval et vous évoluerez à votre rythme.
Dans le cours *Galop 1-2*, l'objectif est d'arriver à acquérir de l'autonomie aux trois allures.
Déroulement du cours *Galop 1-2*, le jeudi de 17 h 30 à 19 h.

À savoir !
Avoir l'équipement du cavalier (pantalon, bombe, bottes...).
Le passage des galops (examen final) en fin d'année.

Tarifs
Abonnement annuel (septembre-juin) : 200 €
Le prix ne comprend pas la licence FFE (obligatoire pour les abonnements) : 25 €.

NATATION
Triton club

Les **cours de natation Ados** sont pour les jeunes qui ont entre 11 et 16 ans sachant bien nager.

Ces cours ont pour objectif le perfectionnement technique des nages (crawl, dos, papillon, brasse, plongeon...), l'entretien physique. Les nageurs du groupe Ados participent aux interclubs départementaux et/ou aux compétitions organisées par le **Triton Club.**

Horaire des cours :
du lundi au samedi le cours Ados a lieu de 18 h à 19 h 30.

Le bonnet de bain, le peignoir et les chaussures en plastique sont fournis.

Abonnement annuel : 120 €.

Volleyball

But de l'association : pratique du volleyball en loisirs et équipe mixte.

Conditions d'adhésion : cotisation annuelle de 48 € comprenant la licence, l'assurance, l'abonnement.

Activités : Que vous soyez fille ou garçon, débutant ou déjà expérimenté, venez jouer pendant 2 heures au volley, dans une ambiance chaleureuse et conviviale, tous les lundis et jeudis soir à 17 h sous la Halle aux Grains.

Nous rencontrons tout au long de l'année d'autres équipes de la région toulousaine au sein d'un championnat loisir dans la joie et bonne humeur, avec un zeste de compétition pour ceux qui le veulent.

Athlétisme

Les entraînements des Ados-Adultes (année 1996 et avant) se déroulent trois soirs par semaine de 17 h à 18 h, en fonction d'une ou des disciplines souhaitées.

Les entraînements ont lieu au stade. Pour connaître les jours d'entraînements merci de nous contacter.

Tarifs: 90 € pour la saison sportive (de septembre à août).

Les licences comprennent l'adhésion à la Fédération Française d'athlétisme (avec assurance), les entraînements dispensés par des entraîneurs diplômés ainsi que la prise en charge des déplacements aux compétitions officielles.

	Équitation		Natation		Volleyball		Athlétisme	
	OUI	NON	OUI	NON	OUI	NON	OUI	NON
Horaires/jours								
Équipement								
Sport individuel								
Compétition								
Tarif								

Quelle activité choisissez-vous ?

....

Exercice 6 *Répondez aux questions, en cochant (✓) la bonne réponse ou en écrivant l'information demandée.* ///

Vous aidez un ami français à choisir un stage en entreprise pour découvrir un métier, sachant que :

- il adore la technologie ;
- il cherche un stage de 2 semaines ;
- il habite à Nice ;
- il doit travailler un minimum de 4 heures par jour (il a 15 ans) ;
- il parle français et anglais.

Vous lisez ces quatre annonces dans un journal de petites annonces.

TV14/16.com

TV14/16.com est une télévision internationale sur Internet spécialisée pour les jeunes de 14 à 16 ans. Elle est située à Paris, Nice et Toulouse.

Nous recherchons un stagiaire pour notre antenne de Nice à l'occasion d'un reportage sur un important festival de danse espagnole.

Le stagiaire effectuera les tâches suivantes :
- accueil des participants espagnols ;
- assistant de l'ingénieur du son ;
- programmation et archivage.

Profil recherché
- Personne motivée et dynamique.

- Capacité d'initiative.
- Bonne connaissance de l'espagnol.
Durée : 20 jours.
Nombre d'heures : 4 heures par jour (sauf le samedi et le dimanche).

Créa-web

Créa-web est une entreprise de création et de gestion de sites Internet présente dans plus de 10 pays. Nous offrons l'opportunité à des jeunes collégiens de rejoindre notre équipe, le temps d'un stage de 15 jours, pour découvrir notre profession et s'essayer aux techniques de la programmation informatique.

Profil recherché
- Désireux d'apprendre et de travailler.
- Forte motivation pour travailler dans un environnement innovant au sein d'une équipe jeune (25 ans de moyenne d'âge) et internationale (15 nationalités).

- La maîtrise de l'anglais serait un plus.
Durée : 2 semaines.
Temps de travail : 4 à 5 heures par jour, du lundi au vendredi.
Lieu : Nice.

Animation 3D

Vous voulez travailler dans les métiers de l'image et du multimédia ? *Animation 3D* vous propose un stage très pratique pour apprendre les bases de notre métier.

Nous travaillons principalement sur des animations publicitaires pour le web, en France et en Espagne. Nous avons des locaux à Nice et à Barcelone.

Mission
Vous accompagnerez les professionnels de l'animation dans leurs tâches quotidiennes (création de personnages, d'espaces virtuels, conception de l'histoire).

Profil recherché
- Personne passionnée.

- Connaissances basiques en informatique.
- Pratique de l'espagnol.
Durée : 14 jours.
Nombre d'heures : 3 h le matin et 2 h l'après-midi.

Techno'mag

Le Magasin spécialisé en produits multimédias recherche un stagiaire à Paris, du 12 au 25 novembre inclus. Une occasion pour tous les passionnés du multimédia de découvrir et de tester nos milliers de produits. Il sera en charge de réaliser les tâches suivantes :

- tester les produits ;
- classifier et ranger dans les rayons ;
- assister un vendeur expérimenté pour conseiller les clients.

Profil recherché
- Bon sens du contact.

- Bonne connaissance des produits multimédias (ordinateurs, jeux vidéo, matériel son, TV, etc.).
- Bases en anglais, espagnol ou italien.
Nombre d'heures : 6 heures/jour

	TV14/16.com		Créa-web		Animation 3D		Techno'mag	
	OUI	NON	OUI	NON	OUI	NON	OUI	NON
Technologie								
Durée								
Lieu								
Nombre d'heures								
Langue								

Quel stage choisissez-vous pour votre ami ?

....

Lire pour s'orienter - accomplir une tâche

Exercice 7 *Répondez aux questions, en cochant (✓) la bonne réponse ou en écrivant l'information demandée.* ///

Avec vos amis, vous voulez aller à un festival. Vous faites votre choix selon les critères suivants :

- vous voulez partir en juillet ou en août ;
- votre amie Élise veut dormir chez l'habitant ;
- vous n'avez pas de voiture ;
- Chloé veut assister à un spectacle de cirque ;
- vous ne voulez pas payer plus de 90 € pour l'entrée du festival.

Vous lisez ces quatre annonces sur Internet.

FESTIVAL DE CARCASSONNE
DEUXIÈME QUINZAINE DE JUILLET

Des artistes de prestiges venus d'horizons divers se succèdent sur *10 scènes* de la ville.
Au programme cette année : *Yannick Noah, Nolwenn Leroy, Michel Legrand & Natalie Dessay, de l'Opéra avec Aïda, du Cirque par le Ballet Manchot, du Théâtre avec Francis Huster, de la Danse avec le Ballet National d'Espagne.*

TOUS LES SITES DU FESTIVAL SONT DANS LA VILLE,
POSSIBILITÉ DE TOUT PARCOURIR À PIED.

Hébergement en hôtel, pension ou chez l'habitant.
Forfait entrée : Pass 3 jours 50 € / 6 jours 90 € / 15 jours 150 €.

Festival du bout du monde
5 au 10 août
Musique ethnique – 13ᵉ édition

Hébergement : des campings gratuits sont réservés aux festivaliers munis d'un billet – ouverture le vendredi 5 août et fermeture le 11 à midi.
Tarif : 80 € pour les cinq jours
Accès : connectez-vous au site www.envoituresimone.com, vous trouverez des dizaines de propositions de covoiturage !

Les Cultures du Monde

Le festival se déroulera du 8 au 15 août 2012. Depuis 1973, le festival accueille des groupes de danse et de musique du monde entier dans le but de sauvegarder les cultures populaires.

Du mercredi 8 au mercredi 15 août 2012, de 10 h 30 à 00 h.

Tarifs accès festival : 130 €/semaine – 100 €/4 jours
Accès facile au site du festival : navette depuis la gare de Montoire ou covoiturage.
Pour des solutions d'hébergement chez les habitants de Montoire : www.vienschezmoi.com, la liste des campings sur www.montoirecamp.fr (Attention ! les campings sont vite complets.)

Le Chien à plumes

Le Festival aura lieu les 3, 4, 5, 6 septembre 2012, toujours aux abords du lac de Villegusien, prêt de LANGRES en Haute Marne. Pour l'occasion, la programmation monte en puissance et devrait ravir bien des passionnés de ce festival ! Entre chansons, musiques du monde, rock, métal, électro... ajoutez à cela un cadre exceptionnel (plage, camping gratuit...) et le *Chien à Plumes* devient un événement incontournable du Grand Est. Sors de chez toi, rejoins-nous !

Accès en voiture seulement – Hébergement au camping du Lac

Entrée au festival : 60 €/4 jours

	Carcassonne		Bout du monde		Cultures du Monde		Chien à plumes	
	OUI	NON	OUI	NON	OUI	NON	OUI	NON
Dates								
Hébergement								
Transport								
Cirque								
Tarif entrée festival								

Quel festival choisissez-vous ?

....

II   Dans le cadre des loisirs

Exercice 8 *Répondez aux questions, en cochant (✓) la bonne réponse ou en écrivant l'information demandée.*

En voyage à Lyon avec votre famille, vous voulez aller au cinéma. Il faut choisir le film sachant que :

- il est 20 h 17 ;
- le film ne doit pas durer plus d'une heure trente ;
- votre mère déteste les films d'aventure ;
- votre frère aime les films comiques ;
- votre sœur adore les histoires d'amour.

Dans le programme du cinéma, vous avez vu ces quatre films.

LA JOIE DE VIVRE

Critique : Un film de très bonne qualité, bien au-dessus de nombreux films mais bien trop court (1 h 20 !). À voir impérativement !

Ce drame est une adaptation littéraire de l'œuvre d'Émile Zola. Pauline Quenu, la fille du charcutier Quenu, orpheline à l'âge de 10 ans, est adoptée par la riche famille Chanteau. Une histoire émouvante sur l'héritage et les différences sociales.

Durée 1 h 20
Séances à 18 h 30 et à 20 h 00

INTOUCHABLES
de Éric Toledano et Olivier Nakache
avec François Cluzet, Omar Sy, Anne Le Ny

Le Figaroscope : Intouchables *est un film hilarant. [...] Bien longtemps qu'on n'avait pas vu une comédie française de cette qualité.*

La rencontre entre deux individus de mondes complètement opposés : un handicapé très riche et un jeune de banlieue. Le jeune va apprendre beaucoup de choses de son employeur mais il va aussi lui indiquer comment séduire la femme de sa vie. Des situations pleines d'humour et de sagesse avec un scénario de grande qualité.

Durée 1 h 30
Séances à 18 h 15 - 20 h 30 - 22 h 15

TAIS-TOI
de Francis Veber
avec Jean Reno et Gérard Depardieu

Le Cinescope : Un scénario plein de suspense et d'aventure au ton joyeux. Gérard Depardieu et Jean Réno forment un très bon duo comique. Ruby n'a qu'une idée en tête : se venger de l'homme qui a assassiné la femme qu'il aimait. Quentin n'a en tête que très peu de neurones. Juste assez pour être d'une grande gentillesse et d'une bêtise à entrer dans le *Livre des Records.* Les chemins des deux hommes vont se croiser.

Durée 1 h 27
Séances à 18 h 15 - 20 h 30 - 22 h 15

L'art de séduire
de Guy Mazarguil avec Mathieu Demy, Julie Gay

TéléCinéObs : Cette comédie plutôt recommandable est indéniablement l'une des plus jolies surprises françaises de l'été.

Jean-François, psychothérapeute amoureux d'une de ses patientes, se sent enfin libre de la séduire lorsqu'elle décide d'arrêter sa thérapie. Jean-François accumule toutes les maladresses ce qui le plonge dans des situations hilarantes. Il demande de l'aide à l'un de ses patients qui le consulte pour trouble obsessionnel de drague. Une initiative totalement absurde...

Durée 1 h 25
Séances à 18 h 00 - 20 h 00

	La Joie de vivre		Tais-toi		Intouchables		L'art de séduire	
	OUI	NON	OUI	NON	OUI	NON	OUI	NON
Heure								
Durée								
Aventure								
Comédie								
Histoire d'amour								

Quel film choisissez-vous ?

....

Exercice 9 *Répondez aux questions, en cochant (✓) la bonne réponse ou en écrivant l'information demandée.* ///

Vous décidez d'aller au théâtre avec votre famille. Vous choisissez selon les critères suivants :

- votre père veut aller voir un spectacle où l'on rit beaucoup ;
- vous n'aimez pas le thème du voyage ;
- votre frère préfère un spectacle court (maximum 1 h 30) ;
- la sortie est programmée pour samedi soir ;
- vous ne voulez pas dépenser plus de 15 € par personne.

Vous lisez ces quatre annonces dans un journal local.

Le tour du monde en 80 jours

En 1872, le très Britannique Phileas Fogg et son valet, Passepartout, lancent un pari insensé : faire le tour du monde en 80 jours ! Une comédie survoltée et décalée ! Fogg gagnera-t-il son pari ? Et surtout obtiendra-t-il le tarif 12-25 ans pour ses nombreux déplacements ?

Catégorie unique
Réduction - 25 % 18 €
Réduction - 16 % 20 €
Plein tarif 24 €
Les prix affichés sont des prix par personne, hors frais de réservation.
Prochaine séance disponible
Samedi 14 juillet 2012 à 17 h 00
Durée du spectacle 2 h 00

Jérémy Charbonnel

Une heure et demie de spectacle complètement fou sur les absurdités de notre société. Fort d'une présence scénique remarquable, mélangée à beaucoup d'ironie, voilà l'art qu'a Jérémy de manier l'humour avec une élégance rare.

Placement libre assis
Réduction - 26 % 11 €
Plein tarif 15 €
Les prix affichés sont des prix par personne, hors frais de réservation.

Lundi	Mardi	Mercredi	Jeudi	Vendredi	Samedi	Dimanche
9	10	11	12	13	14 20 h 30	15
16	17	18	19 20 h 30	20 20 h 30	21 20 h 30	22
23	24	25 20 h 30	26 20 h 30	27 20 h 30	28 20 h 30	

Le cirque *Maximum* dans *Adrenaline*

Maximum, la légende du cirque belge, est de retour sur les routes de France avec sa toute nouvelle production avec orchestre intitulée « Adrenaline »...
Au programme, découvrez les numéros les plus spectaculaires du moment : la troupe de trapèze volant, le groupe de tigres blancs, les célèbres clowns Mariani et de nombreuses surprises... Émotions et frissons vous y attendent et surtout un *Maximum d'Adrénaline* !

Prochaine séance disponible
Vendredi 20 juillet 2012 à 20 h 30 – 1 h 45 de spectacle
Prix
Gradin de côté : réduction - 33 % 10 €
Gradin de face : réduction - 40 % 15 €
Loge : réduction - 28 % 25 €
Placement sur chaise : réduction - 33 % 20 €

Paris / Marseille
La Grande Comédie !

L'un est marseillais, l'autre est parisien !
Alors quand les deux se rencontrent, ça fait forcement des étincelles. Un spectacle très drôle ! Une tranche de vie délirante, qu'il est bon de venir partager avec ces deux humoristes et qui peut rappeler quelques souvenirs au public. À ne pas rater !

Placement libre assis
Réduction - 33 % 10 €
Réduction - 25 % 15 €
Les prix affichés sont des prix par personne, hors frais de réservation.
Jeudi, vendredi, samedi 21 h 00 - Fin du spectacle à 23 h 15

	Le tour du monde en 80 jours		Cirque *Maximum*		Jérémy Chardonnet		Paris/Marseille	
	OUI	NON	OUI	NON	OUI	NON	OUI	NON
Comique								
Voyage								
Durée								
Samedi soir								
Max. 15 €								

Quel spectacle choisissez-vous ?

....

Exercice 10 *Répondez aux questions, en cochant (✓) la bonne réponse ou en écrivant l'information demandée.*

Vous êtes en France pour les vacances. Vous souhaitez vous inscrire à une activité sportive avec vos amis, sachant que :

- Pierre veut faire une activité de groupe ;
- Émilie adore nager ;
- Kilian n'est libre que deux jours dans la semaine ;
- vous recherchez une activité pour 4 semaines ;
- votre budget est de 80 euros.

Vous lisez ces quatre annonces dans les dépliants de l'Office de tourisme.

Nage synchronisée en piscine

Vous voulez pratiquer une activité sportive en groupe ? Vous êtes un bon nageur ? N'hésitez plus, inscrivez-vous à notre cours de nage synchronisée. Vous y apprendrez à faire des figures en groupe de 6 à 10.
Ce programme vise l'apprentissage de la nage synchronisée dans un contexte progressif et dans le but de présenter un petit spectacle.
L'activité se déroule dans une piscine chauffée à 22 ° C tous les lundis et mercredis.
Durée du cours : 60 jours
Tarif : 80 euros

SUR LA VAGUE
Cours de ski nautique

Sur la vague est une école de ski nautique pour les skieurs de débutants à avancés.
Nous vous offrons des cours privés pour une durée de 2 à 8 semaines. Le matériel est compris dans le prix.
Programme
- Cours théorique sur la sécurité.
- Cours pratiques dans le parcours maritime.
- Séances de coaching pour les professionnels.
Tarifs
Cours unique : 40 euros/h
2 semaines* : 150 euros
1 mois* : 280 euros
2 mois* : 550 euros

*Fréquence de 2 cours par semaine

La Maison de la mer propose
des cours de Plongée sous-marine

Découvrez les splendeurs de l'océan ! Inscrivez-vous à un cours individuel de plongée, accompagné par un moniteur hautement qualifié.
Le cours est organisé en six séances, sur 30 jours. Il commence en piscine les lundis soir pendant trois semaines puis se prolonge par deux sorties en mer.
Tarif : 350 euros (matériel non inclus)
Contactez la *Maison de la mer* pour plus d'information.

A.S Water Polo Club

Bonjour à tous et bienvenus sur le site de l'*A.S Water Polo Club*. Profitez des vacances pour découvrir ce sport à mi-chemin entre la natation, le rugby et le handball !
Les entraînements ont lieu tous les jours de la semaine de 18 h à 20 h et sont d'une durée de 2 à 4 semaines (tarif : 210 euros).
Autre formule possible
1 séance par semaine pendant un mois
Tarif : 75 euros
N'hésitez pas à nous contacter pour avoir plus d'informations.
Nous sommes ouverts 7 jours sur 7, sauf en été, 5 jours sur 7.

	Nage synchronisée		Plongée sous-marine		Ski nautique		Water-polo	
	OUI	NON	OUI	NON	OUI	NON	OUI	NON
Sport collectif								
Nager								
Disponibilité								
Durée								
Budget								

Quelle activité sportive choisissez-vous ?

....

Lire pour s'orienter - accomplir une tâche

Exercice 11 *Répondez aux questions, en cochant (✓) la bonne réponse ou en écrivant l'information demandée.* //

Vous cherchez un cours de musique. Vous choisissez selon les critères suivants :

- vous êtes libre le lundi et/ou le jeudi ;
- vous adorez les instruments à percussion et la musique ethnique ;
- vous voulez prendre un cours pendant 3 mois ;
- vous préférez les cours collectifs ;
- votre budget est de 120 €.

Vous lisez ces quatre annonces sur Internet.

Cours de guitare

Pour les amoureux d'instruments à corde !
Pour les débutants, comme pour les élèves confirmés, la base de ma méthode tient sur l'étude de différents morceaux choisis par mes soins ou par l'élève, dans un but technique ou théorique, ou tout simplement par plaisir.
Les cours se passent à votre domicile à raison d'une heure par semaine minimum. Possibilité de deux rencontres par semaine (lundi, mardi, mercredi ou jeudi).

Cours particuliers / individuels
Paiement au cours : 40 € de l'heure.
Paiement au trimestre : 360 € pour 12 cours soit 30 € de l'heure.

Cours de batterie

Cours de batterie débutant en ligne avec Sébastien Chavanne. Vous commencez la batterie, vous aimez les percussions, vous souhaitez vous y remettre ou vous avez juste envie de retravailler les bases techniques ? Avec ce cours de batterie débutant, Sébastien Chavanne vous donne tous les outils pour bien débuter ou pour vous perfectionner.
Vous aurez un accès illimité à plus de 600 vidéos, accompagnées des partitions et dessins nécessaires, pour apprendre la batterie à votre rythme, sans contrainte.

14,5 €/mois – 6 mois minimum

Accès illimité 24 h/24- 7 j/7 – Vous pouvez travailler quand vous le souhaitez !

Cours de Djembé

Cours de percussion africaine : djembé
Nombre limité de participants au cours de djembé pour préserver une qualité du cours, de musicalité et d'écoute (10 élèves pour les cours enfants et 20 élèves maximum pour les cours adultes).

Horaires des cours
Tarifs des cours trimestriels / année
Lundi : 18 h 30-20 h 00 Débutant
          20 h 00-21 h 30 Avancé
Mardi : 18 h 30-20 h 00 Avancé
          20 h 00-21 h 30 Intermédiaire
Enfants : 100 €/cycle – 215 €/l'année
Ados/Adultes : 120 €/cycle – 275 €/l'année
Étudiants université : 115 €/cycle – 215 €/l'année
Cycle 1 – trimestriels : début du cours le 3 octobre
Cycle 2 – trimestriels : début du cours le 9 janvier

COURS DE TROMPETTE

Vladimir Peyot arrive sur *imusic* avec un cours de trompette en ligne. Le premier véritable cours complet en ligne sur cet instrument en accès illimité. Je m'inscris au cours de Vladimir Peyot...

Pour 100 €/semestre :
Vous accédez à + de 180 vidéos de cours complets et progressifs.

Vous apprenez à votre rythme : accès au cours illimité 24 h/24 – 7 j/7.

Vous apprenez la musique tout seul en vous faisant plaisir.

Vous avez accès à tous les outils pour progresser.

Vous pouvez poser des questions à nos professeurs.

	Guitare		Batterie		Djembé		Trompette	
	OUI	NON	OUI	NON	OUI	NON	OUI	NON
Fréquence/jours								
Type d'instrument								
Période/durée								
Modalité individuelle/groupe								
Tarifs								

Quel cours choisissez-vous ?

....

Exercice 12 *Répondez aux questions, en cochant (✓) la bonne réponse ou en écrivant l'information demandée.* //

Vous souhaitez vous inscrire à un cours de langue, en France. Vous voulez :

- apprendre le japonais deux heures par semaine ;
- découvrir la culture japonaise ;
- travailler en groupe ;
- vous êtes libre entre 17 h et 21 h ;
- votre budget est de 100 euros par mois.

Vous lisez ces quatre annonces dans le journal.

Cours de Japonais à domicile

Professeur natif. Grande expérience d'enseignement, donne des cours de japonais pour tous niveaux et tous publics (enfants - adolescents - adultes).
Les cours sont individuels et se donnent à domicile.
Initiation possible à la cuisine japonaise.
Méthode traditionnelle d'apprentissage.
Livre fourni par le professeur.

Disponibilité tous les jours de la semaine de 14 h à 22 h.

Tarif : 15 euros/h
Formule conseillée : 2 h par semaine
Forfait 1 mois : 80 euros

Objectif Japon !

Une école de japonais pour tous les âges !
Cours en petits groupes de 4 à 8 personnes maximum.
En seulement 30 jours, vous saurez parler et écrire japonais ! Résultat garanti.
Nos cours sont très communicatifs et adaptés à tous les âges.

Ateliers créatifs

- Atelier manga
- Atelier sushi
- Atelier calligraphie

Horaires : de 10 h à 20 h

Durée des cours : 2 h
Prix mensuel pour...

6 h/semaine : 250 euros
4 h/semaine : 180 euros
2 h/semaine : 95 euros

Tokyo Académie

Apprendre le japonais par la vidéo, c'est possible !

Le but de ce cours est d'amener les apprenants à participer à des conversations quotidiennes à travers le réemploi d'expressions apprises dans des films japonais. Si vous êtes cinéphile et que vous aimez la culture japonaise, ce cours est fait pour vous !
Un cours 100 % communicatif basé sur l'écoute et la production orale en petits groupes.
Cours pour adolescents et pour adultes du lundi au vendredi de 8 h à 18 h.

Durée du cours : 2 h
Fréquence : 1 fois par semaine
Tarif mensuel : 100 euros

Culture Japon

Nous proposons aux adolescents des ateliers ludiques pour découvrir la culture japonaise. Profitez des vacances scolaires pour y participer en famille ou avec vos amis !
Les ateliers durent 1 h 30 et sont donnés par des animateurs natifs.

Au programme
- Initiation au jeu de go
- Projection de films japonais
- Atelier dessin
- Cérémonie du thé

Pendant les vacances scolaires de 10 h à 21 h.
Le samedi de 12 h à 18 h.
Fermé le dimanche.

Gratuit pour les adhérents de l'association Culture Japon (places limitées à 15 personnes par atelier).

	Cours de Japonais à domicile		Tokio Académie		Objectif Japon !		Culture Japon	
	OUI	NON	OUI	NON	OUI	NON	OUI	NON
2h/semaine								
Culture								
Groupe								
Horaires								
Budget								

Quelle annonce choisissez-vous ?

....

Lire pour s'orienter - accomplir une tâche

Exercice 13 *Répondez aux questions, en cochant (✓) la bonne réponse ou en écrivant l'information demandée.*

Vous habitez en France. Demain, vos parents ne peuvent pas vous accompagner ni venir vous chercher à l'école qui se trouve à environ six kilomètres de chez vous. Vous devez décider comment vous y rendre. Vous consultez un dépliant de votre ville sur « Comment se déplacer en ville ».

Pour faire votre choix, vous avez décidé de respecter ces exigences :

- le trajet ne doit pas durer plus d'une heure ;
- le trajet doit vous coûter maximum 2 € ;
- vous voulez en profiter pour faire un peu de sport ;
- vous détestez la foule ;
- vous tenez à la protection de l'environnement.

Vous lisez ces quatre annonces dans le dépliant.

VÉLO
Joindre l'utile à l'agréable.

Le vélo : les villes de France sont de mieux en mieux équipées en pistes cyclables. Les avantages du vélo sont multiples :

- c'est un moyen de transport à part entière car il permet d'effectuer, chaque jour, des distances impensables à pied et ça va plus vite ;
- prendre son vélo quotidiennement peut se substituer à une activité sportive ;
- il permet de prendre l'air plutôt que de se noyer, mal luné, dans la fièvre souterraines du métro ;
- c'est gratuit !
- c'est écolo !

Pour information : le cycliste fait **17 km par heure.**

BUS

Les transports en commun sont sans doute les moyens de transport les plus utilisés.

Même si, aux heures de pointe, ils sont pénibles et pleins de monde, nous n'avons pas d'autre alternative quand nous devons nous déplacer loin et que nous ne possédons pas de véhicule personnel. La création de couloirs spéciaux sur les principales artères a sensiblement réduit la durée des parcours.

Pour évaluer votre temps de trajet, il faut compter environ 5 minutes par station, parfois plus, selon le trafic.

Temps d'attente : 10 à 20 minutes maximum

Temps de parcours pour un kilomètre : cinq minutes maximum selon le trafic

La ville est équipée de « bus verts » (bus électriques) - Prix du billet A/R : 2, 40 €

TAXI

Plus de 19 000 taxis sont à votre disposition, jour et nuit.
Temps d'attente du taxi : 5 minutes.
Les taxis de la ville peuvent utiliser les couloirs d'autobus.
Les courses sont rapides (un kilomètre en 5 minutes maximum selon la circulation).

Réglementation tarifaire : Le montant de la prise en charge est de 2,00 euros, quelle que soit la course.
Tarif A : 0,86 euro le km
Tarif B : 1,12 euro le km
Tarif C : 1,35 euro le km

Le montant minimum est de 6,1 euros (supplément inclus).

À PIED

Un kilomètre à pied...   ... cela use les souliers mais :
- cela fait faire de l'exercice ;
- cela permet de se promener en empruntant des chemins divers et variés en toute tranquillité, même pour se rendre au même endroit chaque jour ;
- c'est gratuit ;
- ça ne pollue pas ;
- cela avive la bonne humeur, etc...
  ...alors usez vos souliers sans scrupules plutôt que de vous user les nerfs dans le métro !

Pour information : la vitesse moyenne du piéton est de 5 kilomètres/heure

	Vélo		Bus		Taxi		À pied	
	OUI	NON	OUI	NON	OUI	NON	OUI	NON
Temps								
Prix								
Sport								
Tranquillité/pas de foule								
Protection de l'environnement								

Quelle solution choisissez-vous ?

....

Exercice 14 *Répondez aux questions, en cochant (✓) la bonne réponse ou en écrivant l'information demandée.* //

Vous êtes à Bruxelles avec des amis. Vous devez acheter au plus vite du matériel de camping pour partir en randonnée dans l'après-midi.

- Vous cherchez une tente 6 places.
- Vous préférez les tentes de marque.
- Votre budget est de 65 euros.
- Nous sommes vendredi, il est 12 h 30.
- Vous cherchez un magasin près du centre-ville.

Vous avez lu les publicités de ces quatre magasins dans le journal.

Camping Plus

Retrouvez votre magasin spécialisé de camping en plein centre-ville !
Camping plus vous propose toutes les marques au meilleur prix sur une large gamme de produits !
Ce mois-ci, profitez de notre offre spéciale -50 % sur les tentes de 4 places et plus.
Tente Kaio© 4 places : 80 euros (à 40 euros seulement !)
Tente Kaio© 6 places : 120 euros (à 60 euros seulement !)
Tente Jaitzu© 8 places : 180 euros (à 90 euros seulement!)
Ouvert du lundi au samedi, de 10 h à 20 h.

À ciel ouvert

Le spécialiste du sport en plein air !
Découvrez nos centaines de produits de qualité pour le camping et les activités de plein air.
Tables pliantes à partir de 25 €
Parasols à 18,50 €
Tentes 3/5 à 35 €
Tentes 5/7 places à seulement 55 €
Ouvert tous les jours, sauf le dimanche, de 10 h à 21 h. Centre commercial Les Tourettes dans la zone industrielle Strépy-Bracquegnies, à 5 km de l'aéroport de Bruxelles-Charleroi.

Zone Sport

Bienvenue à *Zone Sport*, le spécialiste des sports d'aventure et de montagne.
Escalade, randonnée, rafting. Retrouvez chez nous les meilleures marques des sports d'aventure. Découvrez également notre collection de tentes et accessoires de camping au meilleur prix.
Tente Trakout© 4 et 6 places à partir de 120 euros !
Résistante contre la pluie et les vents violents. Idéale pour les randonnées en haute montagne.
Venez nous rendre visite dans notre nouveau magasin en plein centre de Bruxelles (à l'angle de la Grand Place) du lundi au samedi, de 9 h 30 à 12 h et de 14 h 30 à 19 h.

À vos marques !

Toutes les grandes marques sont chez nous ! Camping, randonnée, sports collectifs, natation... Tous les sports à portée de main !
Vous voulez partir à l'aventure avec votre sac à dos et votre tente. Voyagez léger ! *À vos marques* vous propose des tentes 2, 4 ou 6 places qui se montent en 2 secondes ! Pratique et économique, c'est la solution idéale pour vos vacances.
Promotion jusqu'au 25 juin sur la **tente Ketchao© 6 places** pour seulement 69,99 €.
Plus d'informations sur notre site internet www.avosmarques.com ou dans notre magasin, dans le centre de Bruxelles (19 rue Antoine Dansaert), ouvert du lundi au samedi, de 10 h à 19 h 30.

	Camping Plus		À ciel ouvert		Zone Sport		À vos marques !	
	OUI	NON	OUI	NON	OUI	NON	OUI	NON
Type de tente								
Marque								
Budget								
Jour								
Localisation								

Quel magasin choisissez-vous ?

....

Exercice 15 *Répondez aux questions, en cochant (✓) la bonne réponse ou en écrivant l'information demandée.*

Avec votre ami, vous cherchez une activité pendant votre temps libre. Vous choisissez selon les critères suivants :

- vous êtes libre le mercredi après-midi ;
- votre ami aime les arts visuels ;
- vous préférez être entre jeunes ;
- vous aimez les cours collectifs ;
- vous ne voulez pas dépenser d'argent pour du matériel.

Vous lisez ces quatre annonces sur le panneau d'affichage de la mairie de votre ville.

COURS DE SKATEBOARD

BONJOUR À TOUS ! L'ÉCOLE DE SKATE CONTINUE CETTE ANNÉE AVEC UN NOUVEL ÉDUCATEUR, THIBAULT !

Rendez-vous tous les mercredis et samedis à 14 h !

Initiation découverte, démonstration et organisation de compétitions !

« Il s'agit de pouvoir proposer une activité, en fournissant le matériel qui coûte cher, au plus grand nombre, en amenant les planches à roulettes et les protections dans les quartiers », déclare Christian Belair, l'organisateur. La première séance est gratuite. Nombre de participants limité à 15, ouvert à tous, petits et grands !

(rue Ernest Renan face à la friche culturelle *l'imprimerie*)

Photographie
Niveau débutant

Le cours pour adolescents permettra aux jeunes de découvrir les arts visuels à travers la photographie, le cadrage et la composition de l'image.

Les participants vont se photographier entre eux et photographier des sujets colorés et amusants.

Ce cours de 2 h se déroule dans la galerie JVEP au 18, rue de Savoie, le samedi de 16 h à 18 h.

Ce cours est ouvert à tous les ados entre 11 et 17 ans. Il y a 8 participants par groupe. Un parent - et un seul ! - peut également assister aux cours et accompagner les jeunes.

VOUS DEVEZ APPORTER VOTRE APPAREIL PHOTO !

DESSIN PEINTURE

Les ateliers d'arts visuels : dessin, peinture, modelage, etc pour ados vous permettent de développer votre regard et d'aller au bout de vos réalisations.

Par groupes de 6 à 12 avec 2 enseignants, vous pouvez vous inscrire à des ateliers hebdomadaires, le mercredi et le vendredi après-midi.

Vous aborderez le modèle externe (portrait, nu, paysage...) et le modèle interne (abstrait).

Lors de l'atelier, chacun choisit son travail. À nous d'aider à trouver le thème, les matériaux, le papier. Papier et couleurs fournis

Théâtre
Atelier adolescents / étudiants

Cet atelier s'adresse aux jeunes qui ont envie de s'initier au travail de comédien. Le programme est le même que pour la formation générale mais adapté à un public plus jeune.

Tout en utilisant la sensibilité propre à chacun, nous explorons le monde de l'imaginaire afin de pouvoir s'exprimer en toute liberté et face au groupe.

Le travail développe la créativité de l'acteur, grâce à des jeux d'improvisation.

Horaires des cours

Le mercredi de 16 h 00 à 18 h 00.

Pour tout renseignement complémentaire concernant l'atelier adolescents, merci de contacter l'administration par mail : ethetraux@gmail.com

	Skateboard		Photographie		Dessin peinture		Théâtre	
	OUI	NON	OUI	NON	OUI	NON	OUI	NON
Jour								
Arts visuels								
Jeunes seulement								
Collectif								
Matériel fourni								

Quelle activité choisissez-vous ?

....

Exercice 16 *Répondez aux questions, en cochant (✓) la bonne réponse ou en écrivant l'information demandée.* //

Vous êtes en vacances à Paris. Vous recherchez un café pour retrouver un ami, sachant que :

- il arrive à la gare Saint-Lazare ;
- il aime le calme ;
- votre rendez-vous est à 21 h ;
- vous cherchez un lieu économique ;
- votre ami a 17 ans.

Vous lisez ces quatre annonces dans un guide touristique.

CAFÉ DE LA LIBERTÉ

Près de la gare Saint-Lazare, le *Café de la liberté* est l'un des plus chics du quartier (éclairage tamisé, grandes baies vitrées et fauteuils confortables).
Les consommations sont chères, mais le service est impeccable.
Le soir, c'est le lieu de rendez-vous des collégiens et lycéens « à la mode ».
Les clients viennent du monde entier et la musique est toujours présente.
On aimerait presque un peu plus de calme et de détente dans un lieu aussi cosy.
Ouvert de 11 h à 23 h 30 et jusqu'à 2 heures du matin le samedi.

Bistrot au coin tranquille

Idéal pour rencontrer ses amis ou passer une après-midi en famille.
Un lieu tranquille et chaleureux pour se reposer après une journée de visites.
En été, l'agréable terrasse face à la gare de Lyon permet de boire tranquillement un café glacé ou encore de goûter la délicieuse tarte aux pommes de Jeannette.
Petite touche d'originalité : la bibliothèque, où l'on peut emprunter des livres dans l'après-midi et jouer aux jeux de société.
Des tarifs très économiques pour une grande sélection de boissons froides ou chaudes.
Lieu : entre le métro « Gare Saint-Lazare » et le cinéma UGC.
Ouvert tous les jours de 10 h à 21 h.

Bar/discothèque *La nuit blanche*

Comme son nom l'indique, le bar discothèque *La nuit blanche* est ouvert toute la nuit. L'ambiance est sympa et décontractée, la décoration est insolite et inimitable.
En fond sonore, une musique variée, du hip hop au rock en passant par des sons funky.
Point fort : des prix très bon marché pour ce type d'établissement. La première consommation est gratuite.
Soirées à thème et DJ du jeudi au samedi soir, à partir de 21 h.
Ouvert de 17 h à 9 h du matin tous les jours (fermé le lundi).
Interdit au moins de 18 ans.
Près de l'aéroport de Roissy (à 1 h 30 de Paris).

Café Saint-Lazare

Avec un emplacement idéal, près de la gare Saint-Lazare, ce café est le point de rendez-vous des voyageurs.
Des petits prix, une décoration simple et une ambiance calme et reposante. Vous pourrez y profiter de la terrasse chauffée en hiver et climatisée en été.
De nombreuses boissons avec et sans alcool et des desserts « fait maison », pour régaler petits et grands.
Ouvert tous les jours de 11 h à 23 h.

	Café de la liberté		Bistrot *au coin tranquille*		Bar/discothèque *La nuit blanche*		Café Saint-Lazare	
	OUI	NON	OUI	NON	OUI	NON	OUI	NON
Emplacement								
Niveau sonore								
Horaires								
Prix								
Âge								

Quel lieu choisissez-vous ?

....

Lire pour s'orienter - accomplir une tâche

Exercice 17 *Répondez aux questions, en cochant (✓) la bonne réponse ou en écrivant l'information demandée.* //

Avec votre classe, vous cherchez une salle pour organiser la fête de fin d'année. Vous choisissez selon les critères suivants :

- vous voulez pouvoir mettre de la musique ;
- vous serez environ 50 personnes ;
- la fête aura lieu le premier jeudi des vacances ;
- vous voulez pouvoir cuisiner ou manger sur place ;
- vous avez un budget de 200 €.

Vous lisez ces quatre annonces sur le site officiel de votre ville.

FÊTE DE FIN D'ANNÉE

Salle des fêtes
Salle avec possibilité de 80 places assises.
Grand parking ; cuisine équipée ; bar ; coin DJ.
Les plus : possibilité d'hébergement sur place (petit camping) ; possibilité garde d'enfants (animateur B.A.F.A.) ; ou de fournir le DJ pour 100 €.
Prix très sympa (démarrage) : 50 € la soirée (samedi et dimanche).
À bientôt pour plus de renseignements.
Tél : 06 75 48 42 13

Pizzeria « La scaletta »
Cadre familial très apprécié des jeunes.
Pour les groupes jusqu'à 40 personnes, la grande salle est disponible sur réservation les jeudis, vendredis et samedis.
Possibilité de fournir un DJ pour la musique.
Formules
Repas + DJ + salle jusqu'à 2 h du matin : 25 €/personne
Repas + salle jusqu'à 2 h du matin : 18 €/personne
Le repas comprend une salade, une pizza au choix, le dessert et boissons sans alcool à volonté.

Gymnase
Depuis cette année, la Mairie permet aux habitants du village d'utiliser le gymnase.
Vous pouvez louer cet espace pour des fêtes privées.
Attention ! Il faut respecter un règlement très strict (interdiction d'utiliser les équipements du gymnase, nettoyage des lieux avant de partir, interdiction de cuisiner, éviter le bruit à cause du voisinage...).
Maximum 100 personnes.
Tarif : 50 € la soirée, 100 € la journée (tous les jours)

★ ☆ Discothèque ★ ☆
Ancienne vraie discothèque, équipée en conséquence.
Soirées privées uniquement, jusqu'à 200 personnes.
Possibilité de DJ selon le type de musique souhaité.
Tarification accessible à tous (80 € la soirée sans DJ, 200 € avec DJ).
Possibilité d'utiliser une cuisine aux normes.
Jours ouvrables : du lundi au samedi.

	Salle des fêtes		Pizzeria		Gymnase		Discothèque	
	OUI	NON	OUI	NON	OUI	NON	OUI	NON
Dj/musique								
Capacité								
Jours								
Repas/cuisine								
Prix de location								

Quel lieu choisissez-vous ?

....

 Exercice 18 *Répondez aux questions, en cochant (✓) la bonne réponse ou en écrivant l'information demandée.* ///

Vous recherchez un voyage pour partir en vacances avec votre famille. Vous choisissez selon les crières suivants :

- vous aimez les vacances à la mer ;
- votre père aime faire du sport ;
- votre mère adore faire des visites culturelles ;
- vous souhaitez partir en juillet ou en août ;
- votre budget est de 850 euros par personne.

Vous lisez ces quatre annonces de voyage sur Internet.

Séjour en Martinique

Pour vos vacances au soleil, en juillet ou en août, choisissez les Caraïbes avec ce magnifique séjour en Martinique, une île splendide et exotique. Plages, soleil, forêt tropicale et excursions dans les montagnes verdoyantes seront au programme.

Descriptif du séjour
- Formule : 7 nuits/8 jours en pension complète
- Hébergement : hôtel 2 étoiles loin des grandes zones touristiques pour une vision authentique de l'île. L'hôtel est situé à 5 km du village du Diamant.
- Animation : randonnées et rencontres avec la communauté locale.
- Prix : 759 euros (tout compris)

Vols + transferts + hébergement

△▽△▽△▽△ Séjour au Maroc △▽△▽△▽△

6 jours/5 nuits (du 2 au 8 août)

Envie d'exotisme ? Découvrez la région de Marrakech, une ville passionnante entourée de magnifiques montagnes. Partez à la rencontre des villages berbères et de leurs habitants si sympathiques.

Descriptif du séjour
- Formule : pension complète
- Hébergement : hôtel 4 étoiles confortable et accueillant, situé dans l'enceinte des remparts de la Medina, à 10 minutes à pied de la place Djemaa El Fna.
- Animation : visite des palais royaux, des casbahs et médinas de Marrakech et de sa région. Parapente, escalade et excursion dans le Grand Atlas.
- Prix : 599 euros (tout compris) △▽△▽△▽△▽△▽△

Séjour au Sénégal (du 10/07 au 19/07)

Laissez-vous séduire par un séjour africain au Sénégal. Un pays où découvrir un désert immense, des plages magnifiques, une gastronomie succulente et une population particulièrement accueillante.

Descriptif du séjour
- Formule : 8 nuits/9 jours tout inclus
- Hébergement : petit hôtel familial et très convivial, situé au bord d'une magnifique plage de sable blanc, près de Dakar.
- Animation : visite des principaux centres d'intérêt de Dakar et de ses environs.
- Prix : 699 euros (tout compris)

Séjour à la Réunion

Découvrez l'île de la Réunion et ses multiples splendeurs... Avec sa nature exubérante, composée de montagnes, de forêts tropicales, de plages paradisiaques et de son fameux volcan le Pic de la Fournaise, la Réunion saura répondre à toutes vos attentes.

Descriptif du séjour
- Formule : 9 jours/8 nuits en demi-pension du 10 au 19 juillet ou du 15 au 24 août
- Hébergement : magnifique résidence hôtelière située à proximité de Saint-Gilles-Les-Bains .
- Animation : plongée sous-marine, planche à voile, excursion dans les montagnes, visite du volcan. Découverte des marchés, de l'aquarium géant et du musée historique de Villele.
- Prix : 1 050 euros (tout compris)

  Offre spéciale à 849 euros, à partir du 15 août.

	Martinique		Sénégal		Maroc		Réunion	
	OUI	NON	OUI	NON	OUI	NON	OUI	NON
Mer								
Sport								
Visites								
Date								
Budget								

Quel voyage choisissez-vous ?

....

Lire pour s'orienter - accomplir une tâche

Exercice 19 *Répondez aux questions, en cochant (✓) la bonne réponse ou en écrivant l'information demandée.* //

Vos parents veulent vous offrir un séjour linguistique dans un centre de langue. Vous le choisissez selon les critères suivants :

- vous voulez partir au mois de juillet ;
- vous cherchez un séjour qui comprend des activités touristiques organisées ;
- vos parents préfèrent que vous soyez hébergé en famille d'accueil ;
- le volume horaire total de cours de langue doit être au minimum de 30 heures ;
- le centre doit être pourvu d'une médiathèque ou d'un centre de ressources.

Vous lisez ces quatre annonces dans une brochure des centres de langues.

École de langue française à Paris

L'école se situe dans une zone piétonne tranquille, au cœur du quartier latin. 13 salles de cours, une médiathèque bien équipée. Il y a aussi une grande terrasse et des salles de détente dans toute l'école.
Cours de français général pour tous les niveaux.
Stage intensif : 6 heures par jour pendant 6 jours du 16 au 23 juillet / du 23 au 30 juillet / du 2 au 9 août

Options d'hébergement
- **Familles d'accueil**
  Les chambres à coucher sont propres et confortables et tous les étudiants disposent d'un endroit calme pour travailler.
- **Résidence**
  Dans une résidence pour étudiants, le contact avec les étudiants du monde entier joue un rôle de première importance.

Centre de langue Bretagne

Le CL Bretagne est idéalement situé au cœur d'un magnifique parc arboré au pied de la rivière Elorn. Nous accueillons toute l'année plus de 1 000 étudiants et professeurs de français qui viennent suivre un stage d'une semaine à une année.

Nos locaux et équipements
- Un cadre d'études confortable.
- 2 espaces informatiques.
- Centre de ressource.
- Cafétéria.
- Jardin ensoleillé.

Formule des séjours en juillet et août « cours de français et excursions » : 20 leçons d'1 h 30 le matin + activités l'après-midi.

Hébergement
- Famille d'accueil du dimanche soir au samedi matin : 189 €/semaine
- Cité universitaire (hébergement seul) : 90 €/semaine
- Auberge de jeunesse (nuit + petit déjeuner) : 19 €/jour
- Hôtels : voir rubrique hébergement sur notre site.

École de langue « Toulouse In »

Des moments privilégiés où l'apprentissage du français et le plaisir qu'on prend à découvrir la ville et le sud de la France vont de pair. Une ambiance à la fois studieuse et décontractée.

Organisation des stages tous niveaux
Dates : du 02 au 13 juillet 2012 / du 06 au 17 août 2012. Les cours seront assurés de 9 h à 13 h (avec une pause de 15 mn) – total 40 h.

Hébergement
Formules et tarifs en résidence :
1) chambre seule : 200 € (2 semaines) ou 350 € (4 semaines)
2) chambre + petit déjeuner : 240 € (2 semaines) ou 420 € (4 semaines)

Activités culturelles
Pendant l'été, encore plus d'excursions, de sport, de soirées …

Lingua International Bruxelles

L'école se trouve à proximité des endroits très en vogue de Bruxelles. Et à seulement quelques minutes à pied de la vieille ville. 11 salles de classe sont à la disposition des étudiants internationaux. Un salon étudiant offre l'accès à Internet via Wifi.

Cours standard septembre-juin
- Leçons : 24 de 50 minutes
- Durée des cours : 1 à 6 semaines
- Niveaux : débutant à avancé
- Effectif/classe : max. 9 personnes
- Âge minimum : 16 ans
- Horaires : 8 h 00-12 h 00 ou 13 h 00-17 h00

Famille d'accueil
L'école de langue *Lingua International* vous propose de vivre dans une famille d'accueil pendant votre séjour linguistique à Bruxelles.

	Paris		Bretagne		Toulouse		Bruxelles	
	OUI	NON	OUI	NON	OUI	NON	OUI	NON
Dates								
Activités et tourisme								
Hébergement								
Heures de cours								
Mediathèque								

Quel séjour choisissez-vous ?

....

Exercice 20 *Répondez aux questions, en cochant (✓) la bonne réponse ou en écrivant l'information demandée.* //

Vous êtes en France pour les vacances. Vous voulez acheter un jeu vidéo, sachant que :

- vous avez une console *PlayStation 3* ;
- vous aimez les jeux d'aventure ;
- vous voulez une version bilingue (français/anglais) ;
- vous avez 15 ans ;
- votre budget est de 50 euros.

Vous lisez ces quatre descriptifs dans un magazine de jeux vidéo.

INDIANA JONES CHEZ LES INCAS

Retrouvez les aventures d'Indiana Jones sur PC. Vous incarnerez le plus grand des aventuriers à la recherche du trésor des Incas. Vous traverserez une inquiétante forêt tropicale, éviterez les pièges à l'intérieur des pyramides et découvrirez le grand mystère de cette civilisation !
Un jeu palpitant et plein de suspense à découvrir à partir de 12 ans.

Prix : 45 euros
2 CD-ROM avec mode d'emploi
Langues disponibles : français et anglais

Expérience 112

Un bateau désaffecté. Un système de contrôles et de surveillance en état de marche. Une femme, Léa Nichols, seule survivante d'une équipe de chercheurs. Surveillez, contrôlez, cherchez, fouillez....
Derrière vos caméras, guidez Léa Nichols vers la liberté mais surtout vers la vérité. Un jeu de réflexion et d'aventure avec un graphisme magnifique et un scénario original.
Expérience 112 a remporté le Prix du meilleur scénario et le Grand Prix du 2e Festival du Jeu Vidéo de Paris.
Jeu interdit aux moins de 16 ans
Langue française
Prix : 55 euros sur Playstation 3 et 45 euros sur PC

Syberia

Un chef d'oeuvre signé Benoît Sokal, le maître français des jeux vidéos.
Ce jeu vous fait voyager jusqu'en Sibérie en passant par toute l'Europe occidentale et orientale. Vous interprétez Kate Walker à la recherche d'un univers oublié abritant les derniers mammouths de la Terre.
Le désir de progresser dans l'aventure pousse à faire travailler votre imagination et à écouter votre intuition : les rebondissements dans l'histoire surprennent avec plaisir ; les décors sont d'une très grande beauté et l'émotion est au rendez-vous !
Version disponible en français, anglais ou espagnol.
À partir de 8 ans
Disponible sur PC et Playstation 3
49 euros

Obscure 2 (sur PlayStation 2)

Lutter contre des monstres créés lors d'essais scientifiques réalisés durant le cours de physique !
Une expérience menée en classe sur des fleurs mystérieuses révèle une dangereuse substance capable de provoquer des rêves étranges. Mais des étudiants découvrent que ces fleurs cachent plus que ce qu'on pouvait imaginer. Quand les graines finissent par germer, le mauvais rêve se transforme en horrible réalité...
Un scénario terrifiant place ce jeu vidéo dans les meilleurs du genre.

Attention, le jeu est interdit aux moins de 18 ans !
Version française et anglaise / Prix : 50 euros

	Indiana Jones chez les Incas		Expérience 112		Syberia		Obscure 2	
	OUI	NON	OUI	NON	OUI	NON	OUI	NON
Playstation								
Genre								
Langue								
Âge								
Budget								

Quel jeu choisissez-vous ?

....

I **Sur la société**

Exercice 21 *Lisez le document puis répondez aux questions.*

Le Web des ados :
Facebook, le réseau social préféré des collégiens et des lycéens

Que font les ados devant un écran d'ordinateur ou lorsqu'ils tapotent* sur leur *smartphone* ? Ils sont sur le Web… qu'ils utilisent, la plupart du temps, pour communiquer via l'incontournable *Facebook* ou leur blog.

Facebook : la star des collèges et des lycées

Selon une étude récente, utiliser le Web est, juste après "regarder la télé" et "lire", l'activité préférée des Français âgés de 1 à 19 ans. La majeure partie du temps de connexion est consacrée à communiquer, notamment sur *Facebook*.

Grande entreprise du monde du Web (le site compte, en avril 2012, plus de 900 millions de membres actifs…), *Facebook* est la star des collèges et des lycées. 64 % des 11-13 ans y possèdent un compte, alors que l'âge légal pour accéder au réseau social est fixé à 13 ans. Cela n'est visiblement pas un frein : ce pourcentage de (très) jeunes inscrits a augmenté de presque 10 % en un an.

Les autres réseaux sociaux n'attirent pas les ados qui représentent moins de 1 % des inscrits.

Des amis qui prennent du temps !

60 % des collégiens passent plus d'une heure par jour sur *Facebook* et 25 % plus de 2 heures. Ils ont, en moyenne, 210 "amis" sur le réseau (190 au collège). Si cela semble beaucoup, on peut noter que la définition du mot *ami* est assez extensible… Le nombre d'"amis" s'amenuise* à partir de 17 ans, au moment où l'on commence à préférer la qualité à la quantité.

Que font les ados sur *Facebook* ?

Plus de la moitié d'entre eux publient des photos et des vidéos. Ils échangent des petits mots, des banalités avec leurs "amis", des choses sans utilité apparente pour les adultes, mais qui maintiennent leur réseau en vie.

Dialoguer et expliquer les règles

Les risques liés à l'utilisation de *Facebook* peuvent être limités si un dialogue a été établi entre parents et ados. Il est important de discuter ensemble du but de ce réseau social et d'expliquer les règles de confidentialité et de sécurité qui sont modifiées régulièrement. Un quart des collégiens sont "amis" sur *Facebook* avec au moins un de leur parent, qui pensent peut-être ainsi mieux surveiller ce que fait leur ado. Cette solution, déconseillée par certains psychologues, se révélera de plus totalement inefficace si l'enfant maîtrise bien les paramètres de son compte. Il ne laissera alors lire à ses parents que ce qui leur est destiné…

455 mots

---

*Tapoter : frapper légèrement de façon répétée.
*S'amenuise : diminue.

D'après l'article « Le Web des ados : Facebook, le réseau social préféré des collégiens et des lycéens » le 20 avril 2012
Stéphanie Lambert
http://www.vosquestionsdeparents.fr/dossier/1105/le-web-des-ados-facebook-les-blogs-et-les-recherches-pour-lecole/sectionId/268

1 • Ce document propose…

   a. une mise en garde sur l'utilisation des réseaux sociaux.

   b. des informations sur un réseau social en particulier.

   c. une étude statistique sur l'utilisation d'Internet.

> Dans cet exercice de compréhension écrite, cette première question vous demande souvent d'identifier le thème principal de l'article.

2 • Dites si l'affirmation suivante est vraie ou fausse en cochant la case correspondante et citez les passages du texte qui justifient votre réponse.

	VRAI	FAUX
Aller sur Internet est l'activité préférée des jeunes Français. *Vous devez recopier le texte. Ne reformulez pas.*		
Justification :		

3 • Quel phénomène contradictoire observe-t-on concernant l'âge des utilisateurs sur *Facebook* ?

....

4 • Dites si les affirmations suivantes sont vraies ou fausses en cochant la case correspondante et citez les passages du texte qui justifient votre réponse.

	VRAI	FAUX
a. Les ados s'inscrivent sur tous les réseaux sociaux.		
Justification :		
b. Plus les ados grandissent moins ils ont d'amis sur *Facebook*.		
Justification :		

5 • Citez les activités de la plupart des ados sur *Facebook*. (Deux réponses attendues.)

....

....

Attention à la consigne ! Ici, il faut fournir au moins deux réponses.

6 • Maintenir son réseau en vie, c'est...

    a. garder les contacts avec ses amis.

    b. mettre des personnes en contact les unes avec les autres.

    c. se rapprocher de ses parents.

7 • Que doivent faire les parents pour éviter que leurs enfants trouvent des problèmes en utilisant *Facebook* ? Expliquez avec vos propres mots.

....

Ne recopiez pas le texte. Vous devez reformuler pour bien montrer que vous avez compris.

8 • Les parents deviennent "amis" de leurs enfants sur *Facebook* pour...

    a. communiquer davantage avec eux.   **b.** avoir plus d'"amis".   **c.** contrôler leurs activités.

9 • Dites si l'affirmation suivante est vraie ou fausse en cochant la case correspondante et citez les passages du texte qui justifient votre réponse.

	VRAI	FAUX
Les ados peuvent contrôler la publication des informations les concernant.		
Justification :		

Exercice 22 *Lisez le document puis répondez aux questions.* //

La récup, le don, l'occas*... c'est tendance

Tout se vend, tout s'achète

Dans les cours de récréation, les modes passent vite... Les *Pokéchoses** ont laissé leur place aux *Bakutrucs** qui ont disparu devant la folie des toupies*...

> Lorsque vous trouvez un astérisque *, cela signifie que le mot est expliqué en bas de page, après l'article. Lisez la définition, cela peut vous aider à mieux comprendre.

Gabriel vient d'emmener son demi-frère Milan, 8 ans, revendre toutes ses cartes de jeu dans une boutique de mangas :

« Il avait 600 cartes qu'il voulait mettre à la poubelle. À un centime la carte, il a récupéré 6 euros. D'accord, ce n'est pas la fortune, mais c'est drôle, je ne l'ai jamais vu aussi content de mettre des pièces dans sa tirelire ! Notre prochaine étape : vendre tous nos jeux de société et nos anciennes consoles au vide-grenier* qui aura lieu au printemps, dans le quartier. Ce n'est pas ça qui va nous rendre richissimes, mais ça va être sympa. »

Les vide-greniers et les dépôts-vente ont beaucoup de succès. Que faut-il y voir ? Un effet de la crise économique ? Un retour aux vraies valeurs ? Une certaine nostalgie des vieilles choses ? Une prise de conscience écologique ? Un peu de tout cela à la fois, sans doute.

Réparer plutôt que jeter

Entre 1990 et 2008, on a dépensé 28 % de moins en réparations diverses, et même 40 % de moins en ce qui concerne les appareils ménagers ! Aujourd'hui, quand on entend dire « elle est en réparation », on pense immédiatement que la personne parle de sa voiture. Il est de plus en plus difficile en effet de faire réparer un téléphone ou même une télé. [...]

Aujourd'hui, le plus souvent, on remplace...

De plus en plus d'appareils sont fabriqués pour ne pas être réparables. Tout nous pousse à la consommation [...].

Et si on donnait ?

[...] « Donner », c'est comme « réparer », c'est un mot désuet*, mais tellement joli...

On peut donner ses livres et ses jouets, à des écoles, des crèches, des ludothèques, des centres de loisirs. On peut donner ses anciennes revues à son médecin, son coiffeur, son... dentiste préféré.

Ou devenir adepte du « bookcrossing » comme Anaïs : « Le principe, c'est d'abandonner les livres qu'on aime, dans un lieu public, avec un petit mot dedans, genre : *Ce livre ne vous appartient que le temps de sa lecture. Lisez-le puis libérez-le à votre tour dans un endroit fréquenté.* Ensuite, on n'a plus qu'à espérer que le lecteur joue le jeu. Certains mettent leur e-mail en demandant d'avoir des nouvelles du livre. Ma mère ne veut pas que je laisse mes coordonnées, mais de toute façon, je trouve beaucoup plus poétique de ne pas savoir ce qu'il va advenir du bouquin*, non ? »

Certes, surtout quand poétique rime avec écologique...

450 mots

---

*L'occas' / l'occasion : acheter des objets qui ont déjà servi à d'autres personnes.
*Pokéchoses/Pokémon : jeu de cartes pratiqué par les enfants à l'école pendant la récréation.
*Bakutrucs/ bakugan : jouets pour garçon.
*Toupies : jouet qui tourne sur lui-même en équilibre sur sa pointe.
*Vide-grenier : marché où des particuliers vendent toutes sortes d'objets personnels à petit prix.
*Désuet : démodé, ancien, qu'on n'utilise plus.
*Bouquin : livre.

D'après le dossier « La récup, le don, l'occas…, c'est tendance » 02/2012 www.mtaterre.fr
http://www.mtaterre.fr/dossier-du-mois/archives/939/La-recup,-le-don,-l%27occas...-c%27est-tendance

1 • Ce texte parle...

  a. des jeux à la mode dans les cours de récréation.

  b. de la nouvelle tendance à revendre tout ce qu'on n'utilise plus.

  c. de comment devenir riche en étant écologiste.

2 • Pourquoi Gabriel est-il content ?

....

3 • Milan et Gabriel vont aller au vide-grenier...

   a. parce qu'ils veulent gagner beaucoup d'argent.

   b. parce que c'est amusant.

   c. parce qu'ils vont rencontrer les copains du quartier.

> Dans les questions à choix multiple, les mauvaises réponses essaient souvent de vous piéger car elles reprennent des termes ou des expressions qui se trouvent dans le texte. Soyez attentifs et ne répondez pas trop vite !

4 • Quelles sont les raisons du succès des vide-greniers ? (Deux réponses attendues.)

....

5 • Dites si les affirmations suivantes sont vraies ou fausses en cochant la case correspondante et citez les passages du texte qui justifient votre réponse.

	VRAI	FAUX
a. On répare de plus en plus les appareils ménagers. *Justification :*		
b. Quand un appareil ne fonctionne plus, on en achète un autre. *Justification :*		

6 • Que peut-on faire également des objets qu'on ne veut plus ?

....

7 • Qui peut profiter des jouets qu'on ne veut plus ? (3 réponses possibles.)

....

....

> Plusieurs réponses sont données dans le texte mais vous pouvez en fournir une seule.

8 • Les médecins ou les coiffeurs peuvent récupérer...

   a. des vieux magazines.

   b. des vieux livres de poche.

   c. des vieux jouets.

9 • Quel est le principe du *bookcrossing* ?

   a. Récupérer les livres abandonnés dans les lieux publics pour les vendre.

   b. Abandonner des livres dans des lieux publics pour des inconnus qui les liront.

   c. Rencontrer des personnes en s'échangeant des livres dans des lieux publics.

Exercice 23 *Lisez le document puis répondez aux questions.*

Des éco-festivals tout l'été !

Qu'est-ce qu'un éco-festival ?

L'été est là, et son lot de festivals avec !

Les festivals, à la fois de musique, de théâtre, de danse, voire de sports, il y en a pour tous les goûts et tous les styles. Très apprécié par le public, ce type de manifestation n'est pas sans impact sur l'environnement. Il existe des pistes pour qu'il soit réduit et d'année en année, de plus en plus de festivals s'engagent.

Quel est l'impact des festivals sur l'environnement ?

Un festival utilise de l'énergie pour :

1. le déplacement des artistes et du public (les transports représentent en moyenne 70 à 80 % des émissions de gaz à effet de serre des festivals) ;
2. l'éclairage (plus gros poste de consommation d'électricité des festivals) et la sonorisation des scènes ;
3. la restauration ;
4. les espaces de camping.

Les festivals produisent souvent beaucoup de déchets, notamment des gobelets et de la vaisselle pour restaurer les festivaliers.

Comment un festival peut-il devenir plus éco-responsable ?

Tout d'abord, il n'y a pas une solution unique pour qu'un festival réduise son impact sur l'environnement. Devenir éco-responsable pour un festival est une démarche progressive. [...]

Exemples d'action pour diminuer son impact

- Les transports, qui représentent la majorité des émissions de gaz à effet de serre d'un festival, sont un poste important à étudier quand un festival veut réduire son impact environnemental.

Ainsi, pour limiter l'usage de la voiture individuelle, les organisateurs de festivals mettent en place des systèmes de navette, en partenariat avec la société de transports de la ville, des plateformes de covoiturage, ou également des tarifs préférentiels sur les billets de train pour les festivaliers qui choisissent de voyager avec ce mode de transport. [...]

- La production de déchets est également un problème important sur lequel se pencher quand les festivals veulent agir pour l'environnement. Pour valoriser le plus possible des déchets des festivals, de plus en plus de festivals mettent en place des poubelles de tri.

Mais au-delà du tri, il est important de réduire la production de déchets. Les gobelets en plastique représentent un volume important des déchets d'un festival, une solution est testée depuis quelques années : les gobelets consignés. Le principe : donner une somme (souvent 1 euro) en échange du gobelet, que l'on utilise autant de fois que l'on veut, puis le redonner avec, en retour, la somme que l'on avait donnée.

[...]

- L'énergie utilisée lors des festivals provient principalement de l'éclairage de la scène. Pour réduire l'énergie consommée sur ce poste, quelques initiatives ont fait l'objet d'expérimentation pour éclairer la scène avec des LED*. [...]
- La mutualisation d'achats est également une piste à envisager pour réduire l'impact des festivals. Cela signifie que plusieurs festivals se regroupent afin d'utiliser les mêmes équipements. Les festivals n'ayant pas toujours lieu à la même date, cette solution est envisageable à partir du moment où les organisateurs de festival sont prêts à travailler ensemble.

Plusieurs équipements peuvent être mutualisés : les gobelets consignés, les toilettes sèches, voire le matériel technique (lumière, son, etc.). [...]

Découvre les éco-festivals de l'été en France...

517 mots

*LED « light-emitting diode » : type d'éclairage à consommation inférieure aux lampes classiques.

http://www.mtaterre.fr/dossier-mois/archives/chap/853/Qu-est-ce-qu-un-eco-festival

1 ● Un éco-festival est...

    a. un festival où l'on parle d'écologie.

    b. un festival où l'on fait attention à l'environnement.

    c. un festival où l'on dépense peu d'argent.

2 • Dites si l'affirmation suivante est vraie ou fausse en cochant la case correspondante et citez les passages du texte qui justifient votre réponse.

	VRAI	FAUX
Le nombre d'éco-festivals augmente. *Justification :*		

3 • Qu'est-ce qui fait dépenser le plus d'électricité dans un festival ?

....

4 • D'après le texte, quel est l'inconvénient des déplacements ?

    a. Le manque de place pour circuler.   **b.** La pollution de l'atmosphère.   **c.** La pollution sonore.

5 • Citez deux autres aspects non écologiques dans un festival.

....

6 • Dites si l'affirmation suivante est vraie ou fausse en cochant la case correspondante et citez les passages du texte qui justifient votre réponse.

	VRAI	FAUX
Il est facile et rapide d'adopter un comportement éco-responsable. *Justification :*		

7 • Que font certains festivals pour diminuer l'impact négatif des transports ?

....

8 • Le système de « gobelets consignés » permet...

    a. d'utiliser un verre en plastique gratuit et de le jeter dans les poubelles de tri.

    b. d'acheter et d'utiliser un verre en plastique que l'on peut emporter chez soi.

    c. d'acheter un verre en plastique et de le rendre après utilisation pour récupérer la somme payée.

9 • Dites si l'affirmation suivante est vraie ou fausse en cochant la case correspondante et citez les passages du texte qui justifient votre réponse.

	VRAI	FAUX
L'utilisation des éclairages à basse consommation dans les festivals se pratique depuis longtemps. *Justification :*		

10 • Les organisateurs de festivals peuvent se mettre d'accord pour...

    a. choisir les artistes et les spectacles.   **b.** acheter du matériel en commun.   **c.** fixer les dates des festivals.

Exercice 24 *Lisez le document puis répondez aux questions.*

Ça bouge dans les collèges et lycées !

Le développement durable dans les établissements : ce qui se fait

Des bâtiments Haute Qualité Environnementale

Beaucoup de nouveaux établissements scolaires respectent aujourd'hui des normes de haute qualité environnementale, dites HQE. Pendant leur construction, mais aussi lors de leur utilisation, leur impact sur l'environnement est moindre.

Ainsi, le lycée agricole de Subdray, dans le Cher, a ouvert à la rentrée 2009. Il est équipé de panneaux photovoltaïques qui produiront de l'électricité et de capteurs thermiques qui fourniront le chauffage et l'eau chaude des logements.

À Poitiers, le lycée Kyoto est 100 % énergies propres. Il est conçu pour ne pas consommer d'énergie fossile. Ses besoins en énergie sont réduits, notamment grâce à une régulation de l'éclairage artificielle en fonction de la lumière du soleil et à une production d'électricité grâce à des panneaux photovoltaïques. Mais ces établissements bien conçus ne se montrent vraiment performants que si les élèves et le personnel participent à l'effort d'économies d'énergie. Par exemple, ne pas laisser les fenêtres ouvertes ou les lumières allumées en quittant une salle, signaler les fuites de robinets ou de chasses d'eau, participer à un tri rigoureux des déchets…

Le label Éco-École

C'est un label international d'éducation à l'environnement et au développement durable délivré par l'office français de la FEEE (Fédération pour l'Éducation à l'Environnement en Europe), organisme agréé par le ministère de la Jeunesse et des Sports. Depuis 12 ans, près de 35 000 établissements dans 46 pays œuvrent* pour obtenir et conserver ce label. Il s'adresse aux établissements scolaires primaires et secondaires. La demande peut venir directement du chef d'établissement, mais également d'un élève, d'un enseignant ou d'un parent d'élève, en concertation avec celui-ci. Les établissements volontaires s'inscrivent et reçoivent un dossier avec la démarche à suivre, des guides et des fiches pédagogiques. Pour obtenir ce label, l'engagement doit être réellement collectif. La première étape est d'ailleurs de créer un comité de suivi (ouvert à tous les acteurs et partenaires de l'école) pour mettre en place les actions. Les élèves, les enseignants, la direction et le personnel doivent alors travailler ensemble une année scolaire sur un des cinq thèmes prioritaires : l'alimentation, la biodiversité, l'eau, les déchets et l'énergie. Un jury composé de spécialistes de l'éducation à l'environnement évalue alors leurs actions avant attribution du label. [...]

Cependant, un établissement n'a pas pour obligation de passer par l'obtention du label Éco-École [...] pour s'investir. Cela va dépendre davantage de la volonté des acteurs de l'établissement (corps enseignants et/ou élèves).

Par exemple, la région Rhône-Alpes aura, d'ici 2010, 91 établissements scolaires qui auront signé la charte « éco-responsables ». Ils s'engagent, pour une durée de 3 ans, sur des actions dans au moins trois des domaines suivants : gestion des déchets, pratiques alimentaires, usages de l'énergie et de l'eau, transports, solidarité internationale, intégration de l'établissement dans son milieu naturel [...].

478 mots

*Œuvrent : agissent.

D'après le dossier « Ça bouge dans les lycées » 01/2010 **www.mtaterre.fr**
http://www.mtaterre.fr/dossier-mois/archives/chap/523/Le-developpement-durable-dans-les-etablissements-ce-qui-se-fait

1 • Ce texte traite...

    a. des initiatives pour la protection de l'environnement dans les écoles.

    b. de la sensibilisation des élèves français à l'énergie alternative.

    c. de la construction de nouveaux collèges et lycées en France.

2 • Quel est le point commun entre les deux lycées pris en exemple ?

....

3 • À quelle condition les projets dans ces lycées sont-ils efficaces ? (Répondez avec vos propres mots.)

....

4 • Dites si les affirmations suivantes sont vraies ou fausses en cochant la case correspondante et citez les passages du texte qui justifient votre réponse.

	VRAI	FAUX
a. Le label Éco-École est français. *Justification :*		
b. 35 000 établissements ont déjà ce label. *Justification :*		
c. La demande du label Éco-École doit être faite par le directeur de l'établissement exclusivement. *Justification :*		
d. Le comité de suivi doit étudier les cinq thèmes principaux. *Justification :*		

5 • Quelle est l'étape finale avant d'obtenir le label ?

....

6 • Quel est l'autre moyen de s'investir évoqué dans le texte ? Expliquez de quoi il s'agit avec vos propres mots.

....

Exercice 25 *Lisez le document puis répondez aux questions.* //

COMME LES ADOS, LES PARENTS FONT AUSSI LEUR CRISE

La crise du « mitan »

À l'aube de la quarantaine ou de la cinquantaine, le parent traverse la « crise du mitan », la crise du « milieu de la vie ». À l'origine : des événements biologiques et sociaux. Le corps se transforme, se dégrade. Les difficultés professionnelles s'accumulent. **«** À 40 ans, on est davantage jugé, on doit faire preuve de ses compétences », explique le sociologue Michel Fize. Les taux de divorce sont les plus élevés dans cette tranche d'âge.

Les symptômes du parent difficile

Le parent difficile est d'abord un parent déprimé. Il se construit dans l'opposition. Rien ne lui plaît autant que d'interdire. Par principe, il refuse tout. Aucun compromis n'est possible. Il punit de façon arbitraire, veut toujours avoir raison, critique systématiquement. Atteint du complexe de supériorité - « Moi, de mon temps... » - il sait tout sur tout. Pose des questions du matin au soir : « Où étais-tu ? », « Avec qui ? »... Il ne veut pas vieillir. Il peut « singer* » ses enfants. C'est souvent un « excentrique » vestimentaire : le père se déguise en rocker et la mère en *lolita*. Ce qui cache en fait un certain mal-être, une jalousie. Le parent difficile souffre d'être surpassé par un ado plus beau et souvent plus intelligent que lui. Mais c'est aussi un angoissé chronique, un menteur, un adepte du double langage...

Tous les ados confrontés

Familles biparentales, monoparentales, recomposées ou homoparentales, tous les adolescents peuvent être confrontés à ce parent en crise, qui n'a qu'un souci : lui nuire. « Si tu savais avec mon père ce que j'ai vécu », « C'est ton attitude qui me pousse à être comme je suis », « Tu me remercieras plus tard »... Pourquoi cette attitude ? Habitué à dominer comme il le souhaite ses jeunes enfants, le parent difficile continue d'assouvir son insatiable appétit de pouvoir alors que ceux-ci sont devenus des adolescents. Il veut rester dominant le plus longtemps possible (c'est ce qui donne un sens à sa vie).

Comment le soigner ?

Il ne faut jamais humilier un parent « naufragé ». Ne pas le mettre en colère. L'ado - « il faut du courage pour l'être aujourd'hui », plaisante Michel Fize - doit lui dire qu'il l'aime comme il est. « Tu es un bon parent. » Ce qu'il faut impérativement faire : savoir lui pardonner, communiquer en permanence, résister à son agressivité, continuer de s'intéresser à lui, le faire participer... « Et lui rappeler qu'il doit se séparer d'eux, c'est normal. »

436 mots

*Singer : imiter.

Source : Comme les ados, les parents font aussi leur crise / Soizic Quero – Ouest-France 24/06/09
http://www.ouest-france.fr/actu/actuDet_-Comme-les-ados-les-parents-font-aussi-leur-crise-_3639-981557_actu.Htm

1 • Qu'est-ce que la « crise du mitan » ?

....

2 • Quelles sont les causes principales de la crise ?

....

3 • Les parents qui vivent cette crise... (Deux réponses.)

> Attention à bien sélectionner deux réponses !

    a. adorent dire non à leurs enfants.

    b. ne s'intéressent pas à leurs enfants.

    c. donnent souvent des punitions justes.

    d. aiment bien avoir raison.

    e. pensent être meilleurs que les autres.

4 • D'après l'auteur, pourquoi les parents s'habillent de manière excentrique ?

....

5 • Dites si les affirmations suivantes sont vraies ou fausses en cochant la case correspondante et citez les passages du texte qui justifient votre réponse.

	VRAI	FAUX
a. Le parent en crise a souvent peur. *Justification :*		
b. Seuls les parents divorcés vivent la *crise du mitan*. *Justification :*		
c. Le parent en crise dit à l'enfant que c'est de sa faute s'il est comme ça. *Justification :*		

6 • Le parent dominant veut...

    a. être jeune.   **b.** être heureux.   **c.** avoir du pouvoir sur quelqu'un.

7 • Quels conseils sont donnés aux enfants ? (Deux réponses.)

    a. Valoriser ses parents.   **b.** Éviter de leur parler.   **c.** Ne pas se mettre en colère.

    d. Demander de l'aide à sa famille.   **e.** Rester toujours avec eux.

8 • Qu'est-ce que l'adolescent doit rappeler au parent ?

....

Exercice 26 *Lisez le document puis répondez aux questions.* //

Un jeu vidéo pour combattre la dépression chez les ados

Des chercheurs néo-zélandais ont mis au point un jeu vidéo pour lutter contre la dépression chez les adolescents. Testé auprès de jeunes malades, ce traitement informatisé serait une alternative efficace à la thérapie classique.

Si les jeux vidéo ont plutôt la réputation de développer des comportements violents et nerveux, les parents les plus sceptiques pourraient changer d'avis en découvrant le jeu *Sparx*, développé par des chercheuses néo-zélandaises de l'université d'Auckland pour lutter contre la dépression. Manque de traitements adaptés, difficulté d'admettre qu'on a besoin d'aide... Elles ont donc eu l'idée d'un jeu vidéo thérapeutique interactif plus accessible aux jeunes.

Dans le jeu en 3D, les participants créent un avatar à leur effigie* et évoluent dans un monde fantastique à sept niveaux qui, franchis les uns après les autres, conduisent le patient vers la guérison. Au début, le joueur doit tuer des *Gloomy*, de petits moustiques qui représentent des pensées négatives (« Tout le monde me déteste. », « Je suis nul. »), tout en découvrant les symptômes de la dépression et des techniques de relaxation. Le joueur arrive ensuite au monde *Volcano*, où il affronte des émotions intenses, comme celle de la colère qu'il doit contrôler en dialoguant avec des dragons par le biais de réponses à choix multiple s'affichant à l'écran. Selon les réponses sélectionnées, il peut accéder aux dernières étapes du jeu. À ce stade, ses missions consistent à trouver des solutions pour développer une pensée positive. À la fin, le joueur doit avoir appris à reconnaître son mal-être et à comprendre quand il a besoin d'aide extérieure.

44 % des joueurs remis de la dépression

Pour tester l'efficacité du jeu, les chercheuses ont fait appel à 168 adolescents qui avaient demandé de l'aide auprès de professionnels de santé. Âgés de 15 ans en moyenne, les jeunes ont été répartis de façon égale dans deux groupes.

Le premier devait tester le jeu vidéo pendant quatre à sept semaines tandis que le second devait suivre une thérapie « classique », sous forme de cinq consultations menées par un psychologue. Résultats trois mois plus tard, environ 44 % des joueurs s'étaient complètement remis de leur dépression contre 26 % des autres jeunes patients. En revanche, si 81 % des joueurs ont déclaré qu'ils recommanderaient ce jeu à leurs amis, la thérapie traditionnelle a obtenu une plus grande adhésion, avec 96 % de satisfaits.

392 mots

* À leur effigie : à leur image.

D'après l' article : Un jeu vidéo pour combattre la dépression chez les ados sante.lefigaro.fr, le 24 avril 2012
http://sante.lefigaro.fr/actualite/2012/04/24/18054-jeu-video-pour-combattre-depression-chez-ados

1 • **Ce jeu vidéo s'adresse à...**

 a. des enfants dépressifs.   **b.** des adolescents dépressifs.   **c.** des adultes dépressifs.

2 • **Les résultats de ce jeu sont...**

 a. positifs.   **b.** négatifs.   **c.** non communiqués.

3 • **Une personne « sceptique » est une personne qui...**

 a. change d'avis facilement.   **b.** ne change pas d'avis facilement.   **c.** pense que tout est possible.

4 • **Pourquoi les chercheuses de l'université d'Auckland ont eu l'idée de ce jeu ? (Deux réponses possibles.)**

 ....

5 • **Ce jeu est...**

 a. plus adapté aux jeunes.   **b.** moins cher qu'une thérapie classique.   **c.** moins efficace qu'un traitement normal.

6 • **Quel est le genre du jeu vidéo ?**

 a. Comique.   **b.** Fantastique.   **c.** D'horreur.

7 • **Comment les joueurs éliminent-ils les pensées négatives ?**

 ....

8 • **Dites si les affirmations suivantes sont vraies ou fausses en cochant la case correspondante et citez les passages du texte qui justifient votre réponse.**

	VRAI	FAUX
a. Le jeu propose de découvrir des émotions.		
Justification :		
b. Le jeu permet de faire comprendre au joueur quels sont ses besoins.		
Justification :		
c. Les jeunes ont préféré le jeu vidéo à la thérapie traditionnelle.		
Justification :		

II | **Sur l'actualité, les spectacles, les activités et les loisirs**

Exercice 27 *Lisez le document puis répondez aux questions.*

 *Qui sont les nouveaux héros des ados ?*

Une foule de héros de fiction nourrit l'imaginaire des 10-15 ans. Qui sont-ils ? Sont-ils différents des héros de notre enfance et de notre adolescence ? Réponses de Geneviève Djénati, psychologue clinicienne et psychothérapeute, et de Jean Marigny, professeur de littérature, spécialiste des vampires.

Les filles et les garçons ne s'identifient pas aux mêmes personnages

Lorsque l'on interroge Perrine, 12 ans, sur ses héros préférés, l'adolescente cite tout de go* des... filles ! Parmi elles : Hannah Montana, Serena (*Gossip Girl*) ou encore Bella (*Twilight*). Pourquoi ? « Parce qu'elles sont belles, naturelles et se sentent bien dans leur peau ! » De son côté, Tom, 11 ans, opte pour des héros plus « musclés » : OSS 117, Naruto (héros du manga éponyme), *Iron Man*...

Rien d'anormal à cela, comme l'explique Geneviève Djénati, psychologue clinicienne et psychothérapeute, car « les filles s'identifient plutôt à des personnages qui sont dans la séduction, l'apparence, alors que les garçons, eux, privilégient des personnages qui sont davantage dans l'action et le dépassement d'eux-mêmes ».

Héros comme ados : tout le monde se cherche !

Malgré ces quelques différences, Geneviève Djénati note tout de même quelques traits communs entre ces héros qui peuplent l'imaginaire de nos enfants.

Ce sont souvent des personnages « qui s'interrogent sur eux-mêmes ». À l'instar des adolescents, eux-mêmes en pleine quête identitaire : ils ne savent pas encore quelle personnalité ils développeront, quel métier ils exerceront plus tard, etc.

Des modèles pas si différents des nôtres

Contrairement à ce que l'on pourrait croire, les héros qui fascinent désormais les ados ne sont pas si différents de ceux qui berçaient leurs parents hier ! « Sur le fond, ces modèles ne changent pas à travers les âges », remarque la psychologue. « Les héros de la mythologie, par exemple, sont identiques à ceux d'aujourd'hui. Ils présentent les mêmes caractéristiques : ce sont des êtres qui se dépassent, qui sont plus forts que les autres et qui arrivent à leurs fins ! Les seules différences résident dans leur apparence physique et le monde dans lequel ils évoluent. »

344 mots

---

*Tout de go : tout de suite/ sans hésiter.

« Qui sont les nouveaux héros des ados ? » le 31 mai 2010 Cyrielle Bert, www.vosquestionsdeparents.fr
http://www.vosquestionsdeparents.fr/dossier/659/les-nouveaux-heros-des-ados

---

1 • L'auteur de cet article fait...

    a. une comparaison entre les héros d'hier et d'aujourd'hui.

    b. une description des héros qu'aiment les adolescents d'aujourd'hui.

    c. une étude sur les raisons pour lesquelles les ados ont besoin des héros.

2 • Quelles sont les caractéristiques des héros préférés des filles ? (Deux réponses attendues.)

....

3 • Quelles sont les différences entre les héros des filles et des garçons ?

....

4 • Quels sont les points communs ?

....

5 • Dites si les affirmations suivantes sont vraies ou fausses en cochant la case correspondante et citez les passages du texte qui justifient votre réponse.

	VRAI	FAUX
a. Les héros des adolescents et ceux des parents ne se ressemblent pas du tout. *Justification :*		
b. Les héros d'hier étaient moins combatifs. *Justification :*		

6 • Qu'est-ce qui différencie les héros d'aujourd'hui et d'hier ?

....

Exercice 28 *Lisez le document puis répondez aux questions.* //

Mon ado n'a pas envie de lire

De nombreux adolescents n'aiment pas les livres, ce qui ne les empêche pas de se construire, rassure Jean-Marc Talpin, psychologue clinicien. Ils disposent pour cela d'autres objets culturels, tels le cinéma ou la musique, qui les ouvrent à d'autres modes de pensée.

Anne Lanchon

Sa collection de *J'aime lire** se trouve encore sur ses étagères, mais il n'ouvre plus un livre depuis des lustres*. À la rigueur, ceux que lui impose le collège… De nombreux adolescents n'aiment pas lire, au désespoir de leurs parents. Le phénomène, attribué souvent à tort* à la télévision et aux jeux vidéo (les gros lecteurs consomment aussi des écrans), semble s'intensifier (61 % des Français de 15 ans affirment lire avec plaisir, contre 70 % en 2000, enquête Pisa pour l'OCDE, 2009), faut-il pour autant s'en inquiéter ? « Les jeunes lisent moins de romans, relativise Jean-Marc Talpin, psychologue clinicien, mais ils lisent des magazines et des bandes dessinées, et beaucoup sur Internet : des lectures *illégitimes* aux yeux des adultes. Par ailleurs, la vitalité de l'édition jeunesse, *Harry Potter* en tête, prouve que la fiction séduit toujours les adolescents. » […]

Au lieu de faire une fixation sur le livre, les parents devraient s'interroger sur leurs pratiques : les plus anxieux ne montrent pas toujours l'exemple. Quant aux bibliophiles, déçus de ne pas partager leur passion, qu'ils se rassurent ! Les parcours de lecteurs sont rarement linéaires : tel enfant adorait lire à 8 ans, arrête à 12 pour marquer sa différence, et y reprend goût plus tard, à l'occasion d'un coup de cœur littéraire. Il importe de continuer à proposer sans imposer, en respectant ses goûts (même si les mangas nous déplaisent), et, pour « frapper juste », de suivre les conseils des professionnels (bibliothécaires, libraires).

« L'adolescent dispose d'autres objets culturels pour se construire, rassure Jean-Marc Talpin. Le cinéma et la chanson proposent aussi des modèles identificatoires et l'aident à reconnaître ses émotions, à les nommer, à les organiser. Eux aussi le confrontent à la complexité humaine et l'ouvrent à d'autres modes de pensée. Si le livre reste le meilleur vecteur pour développer l'imaginaire, en l'incitant à créer des images sur des mots, il n'est pas unique. » Alors cessons de le sacraliser, pour qu'un jour la rencontre opère. Elle se fera sans doute grâce au bouche à oreille entre jeunes.

393 mots

**J'aime lire* : magazine pour enfants.
*Depuis des lustres : depuis très longtemps. Le *lustre* correspond à une durée de cinq ans.
*À tort : injustement.

D'après l'article « Mon ado n'a pas envie de lire » janvier 2012 www.psychologie.com
http://www.psychologies.com/Famille/Ados/Le-monde-des-ados/Articles-et-Dossiers/Mon-ado-n-a-pas-envie-de-lire

1 • Cet article tente...

    a. de donner des solutions pour inciter les ados à lire.

    b. d'alerter les parents sur le manque d'intérêt des ados pour la lecture.

    c. de tranquilliser les parents sur le fait que les ados n'aiment pas lire.

2 • Selon le psychologue Jean-Marc Talpin, la lecture est-elle indispensable aux adolescents pour se construire ? Pourquoi ?

....

> Attention, ici on demande ce que pense le psychologue J-M Talpin et non ce que pensent les parents ou l'auteur de l'article.

3 • Dites si les affirmations suivantes sont vraies ou fausses en cochant la case correspondante et citez les passages du texte qui justifient votre réponse.

	VRAI	FAUX
a. Les parents sont tristes que leurs enfants ne lisent pas. *Justification :*		
b. Les jeunes ne lisent pas parce qu'ils regardent trop la télévision. *Justification :*		

4 • Quel est le type de lecture préféré des adolescents d'aujourd'hui ? (Deux réponses attendues.)

....

5 • D'après la journaliste « Les parents devraient s'interroger sur leurs pratiques », ils devraient donc...

    a. montrer à leurs enfants qu'ils lisent eux aussi.

    b. expliquer à leurs enfants qu'ils s'inquiètent.

    c. démontrer que la lecture aide à réussir dans la vie.

6 • Dites si les affirmations suivantes sont vraies ou fausses en cochant la case correspondante et citez les passages du texte qui justifient votre réponse.

	VRAI	FAUX
a. Un enfant qui ne lit plus s'est désintéressé de la lecture de manière définitive. *Justification :*		
b. Les parents doivent accepter les préférences de lecture de leurs enfants. *Justification :*		

7 • Pourquoi le livre est-il le meilleur moyen de développer l'imagination des jeunes ?

....

Exercice 29 *Lisez le document puis répondez aux questions.*

Les rapports des adolescents à la musique actuelle

La place de la musique chez les jeunes est un phénomène que l'on ne peut ignorer. À l'occasion de notre rencontre-débat, le thème des musiques populaires est pour nous le moyen de montrer le caractère indissociable* de la musique dans la vie des jeunes. C'est aussi une tentative de comprendre mieux la « culture jeune ».

Après un bref panorama de la musique actuelle et son origine (blues, gospel, rock…) l'intérêt est d'étudier chez les jeunes les motivations qui orientent leurs goûts musicaux.

Premièrement, comment pourrait-on définir le terme de « musiques actuelles » ?

Parler de musiques actuelles revient à évoquer tout à la fois le jazz, le rock, le hip hop, le reggae, la chanson ou encore la techno…

Le terme « musiques actuelles » est généralement associé à la culture jeune, elle-même systématiquement identifiée à la période de l'adolescence. Cette association est d'importance capitale.

L'adolescence correspond à une période de différenciation et de recherche d'identité. Il s'agit d'un travail de négociation entre le soi, l'individu et les autres groupes. L'adolescence est une période qui précède l'âge adulte, où l'on se construit une identité autour d'une « tribu », d'un style musical. […]

De quelle façon les médias peuvent-ils influencer les choix musicaux ?

L'écoute musicale a commencé à se spécifier et à se personnaliser grâce à des évolutions technologiques importantes. La radio portable connaît une véritable expansion dès 1954. Avant, il était très difficile pour un adolescent d'écouter de la musique de manière personnalisée et intime. On était généralement dans le salon familial et il n'y avait pas vraiment d'écoute personnalisée. Il y a eu ensuite le juke-box et le transistor. L'adolescent a donc pu avoir sa radio dans sa chambre, et ainsi commencer à développer des idées, des comportements et un style. […]

La télévision a eu la fonction de nous raconter ce que font les autres jeunes dans le monde et principalement aux États-Unis. Cela a créé tout un jeu d'imitations et de références communes. Les stars américaines sont devenues des stars mondiales bien avant qu'on parle de la mondialisation. […]

La musique est constamment présente dans la vie des jeunes. Pourquoi cette place prédominante ?

La réponse est très simple : la musique fait partie des langages universels, et les codes qui découlent* de ce langage permettent une très large interprétation et réception très profonde. Dans la musique, c'est l'émotion qui prime. Ce n'est pas un hasard si le thème principal de la chanson populaire est l'amour. La musique est indissociable de l'affectif, de la relation à l'autre. La musique est un art très communicatif, très social. Elle procure un plaisir qui est d'ailleurs ambivalent* et qui consiste à être en soi et en même temps hors de soi, donc en dehors de la réalité quotidienne. […]

460 mots

* Indissociable : inséparable.
* Découler : dériver, provenir.
* Ambivalent : qui a deux aspects.

« Les rapports des adolescents à la musique actuelle »
Albena Ivanovitch - Lair, auteur de livres pour les enfants, formatrice d'éveil sensoriel par la musique
http://www.lignesdecritures.org/Les-rapports-des-adolescents-a-la.html

1 ● Cet article parle principalement de…

    a. l'importance de la musique chez les jeunes.

    b. des musiques d'aujourd'hui et de leurs origines.

    c. des effets de la musique sur l'humeur des jeunes.

2 • Dites si les affirmations suivantes sont vraies ou fausses en cochant la case correspondante et citez les passages du texte qui justifient votre réponse.

	VRAI	FAUX
a. La musique fait partie du quotidien des jeunes. *Justification :*		
b. On peut mieux connaître les jeunes à travers la musique qu'ils écoutent. *Justification :*		

3 • Dans l'article, on parle de « musique actuelle » pour définir...

    a. la musique qui plaît aux jeunes.
    b. La musique récente / contemporaine.
    c. les chansons qui parlent de l'actualité.

> Certaines questions vous demandent d'expliquer un mot ou une expression. Aidez-vous de votre compréhension générale et du contexte pour répondre.

4 • Quel est le rapport entre musique et recherche d'identité chez l'adolescent ?

....

5 • Avant les années 50, pourquoi était-il difficile d'écouter la musique seul ?

....

6 • Qu'a permis l'écoute personnalisée de la musique ? Répondez en utilisant vos propres mots.

....

7 • Dites si les affirmations suivantes sont vraies ou fausses en cochant la case correspondante et citez les passages du texte qui justifient votre réponse.

	VRAI	FAUX
a. Les médias ont permis aux jeunes de s'ouvrir aux autres cultures. *Justification :*		
b. C'est grâce à la mondialisation que les chanteurs étrangers se sont fait connaître. *Justification :*		

8 • Quelles sont les conséquences de la musique sur les jeunes du point de vue affectif et des sentiments ?

....

Exercice 30 *Lisez le document puis répondez aux questions.*

Agence française du programme européen *Jeunesse en action* (AFPEJA)

L'Agence française (AFPEJA), implantée à l'Institut national de la jeunesse et de l'éducation populaire, est chargée, au nom de la Commission européenne, de la mise en œuvre et du développement du programme européen *Jeunesse en action*, en France.

L'actuel programme européen *Jeunesse en action* concerne plus de 30 pays européens. Il couvre la période 2007-2013. Il est accessible à tous les jeunes de 13 à 30 ans, quelles que soient leurs conditions (sociales, économiques, scolaires…), et aux acteurs de jeunesse (associations, collectivités territoriales, mission locales…) sans condition de formation ou de qualification, et permet d'acquérir des compétences reconnues par un certificat individuel de participation (*Youthpass*).

Le programme apporte un soutien pédagogique et financier à un large panel d'activités rassemblées dans cinq grandes « Actions », se déroulant hors cadre scolaire ou professionnel. Il favorise notamment la mobilité des jeunes en Europe par des actions collectives ou individuelles. Les actions collectives comprennent des échanges de groupes, l'échange de pratiques autour du travail de jeunesse ou la réalisation des initiatives créatives et novatrices des jeunes. L'action individuelle principale est le Service Volontaire Européen (SVE). En 2010, environ 5 000 jeunes Européens dont plus de 1 600 Français ont participé à des échanges en France ; 920 jeunes Français ont été envoyés dans un autre pays dans le cadre du Service Volontaire Européen tandis que 398 jeunes Européens étaient accueillis en France. […]

Avec le Programme européen *Jeunesse en action*, seul ou en groupe selon les activités, vous pouvez :

- bouger, rencontrer d'autres jeunes Européens, découvrir d'autres cultures pendant 1 à 3 semaines avec les Échanges de jeunes (13-25 ans) ;
- partir vivre une expérience de volontariat de 2 à 12 mois dans une association d'un autre pays grâce au Service volontaire européen (18-30 ans, voire à partir de 17 ans dans certains cas) ;
- réaliser votre projet (événement, site Internet, film, exposition…) lié à l'Europe et à ses valeurs, dans votre quartier, votre ville, votre région, ou avec d'autres groupes de jeunes Européens, en sollicitant une subvention Initiative de jeunes (minimum 4 jeunes de 15-30 ans) ;
- participer à la vie civique locale et partager ces pratiques positives avec d'autres jeunes citoyens européens dans le cadre des projets Jeunesse pour la Démocratie (13-30 ans) ;
- débattre avec les élus et les associations, et leur faire des propositions sur les sujets qui vous concernent lors des Séminaires de Jeunes (15-30 ans).

Toutes les activités doivent se dérouler en dehors du cadre scolaire ou universitaire, de la formation professionnelle ou du monde du travail.

431 mots

http://www.injep.fr/-Programmes-europeens-jeunesse-

http://www.jeunesseenaction.fr/index.php?page=p13-30ans

1 • Le programme *Jeunesse en action* est développé par...

    a. la Commission européenne.

    b. l'Agence française.

    c. l'Institut national de la jeunesse et de l'éducation.

2 • À qui s'adresse le programme ?

....

3 • Dites si les affirmations suivantes sont vraies ou fausses en cochant la case correspondante et citez les passages du texte qui justifient votre réponse.

	VRAI	FAUX
a. Les personnes qui veulent participer doivent avoir un profil scolaire ou social spécifique. *Justification :*		
b. Les actions peuvent avoir lieu en France. *Justification :*		

4 • Quels types d'activités collectives le programme propose-t-il ? (Deux réponses attendues.)

....

....

5 • Dites si l'affirmation suivante est vraie ou fausse en cochant la case correspondante et citez le passage du texte qui justifie votre réponse.

	VRAI	FAUX
Le Service volontaire européen est ouvert exclusivement aux majeurs. *Justification :*		

6 • Avec quelles activités est-il possible de partir à l'étranger ? Justifiez votre réponse en citant un passage du texte.

....

....

7 • Dites si l'affirmation suivante est vraie ou fausse en cochant la case correspondante et citez le passage du texte qui justifie votre réponse.

	VRAI	FAUX
L'activité « Initiative de jeunes » peut se passer près de chez vous. *Justification :*		

Exercice 31 *Lisez le document puis répondez aux questions.*

Coup de pouce pour les vacances

Vous avez entre 18 et 30 ans, vous vivez à Paris et rêvez de vous éloigner ne serait-ce que le temps d'un long week-end de la Capitale ?

Désormais vous pouvez prétendre chaque année à une aide de 100 ou 200 € en déposant un dossier auprès de votre arrondissement. Comment ? En téléchargeant le dossier de candidature et en le déposant auprès d'une structure relais de votre arrondissement.

Pour mieux répondre à vos besoins d'autonomie, *Paris Jeunes Vacances* change... Qui dit réforme, dit nouveau règlement et nouveau dossier.

Pour être éligible à *Paris Jeunes Vacances* vous devez :

- avoir entre 18 et 30 ans ;
- habiter à Paris.

Vos vacances doivent également respecter quelques règles, à savoir :

- durer au moins 4 jours et 3 nuits ;
- concerner au maximum 6 personnes ;
- être à finalité touristique ;
- se dérouler sans encadrement parental, professionnel ou bénévole.

Besoin d'un conseil pour remplir votre dossier ? Consultez la structure relais la plus proche de chez vous !

100 ou 200 €

L'aide *Paris Jeunes Vacances* est un chéquier-vacances de 100 €. Vous pouvez cependant prétendre à l'obtention de 2 chéquiers vacances (de 100 € chacun, soit 200 €) si vous justifiez d'une situation sociale difficile. Pour cela vous devrez accompagner votre dossier d'un justificatif, comme :

- une attestation d'Allocation* Adulte Handicapé ;
- un justificatif attestant que vous bénéficiez du Revenu de Solidarité Active (RSA) ;
- une notification d'attribution de bourse* de lycée ou de bourse sur critères sociaux pour étudiants (échelon 5 et 6) ;
- une copie d'un Contrat Unique d'Insertion (CUI) ou Contrat d'Insertion dans la Vie Sociale (CIVS) ;
- une attestation du bénéfice de la tarification Scolarité Transport.

Si vous n'avez pas ce type de justificatif, vous pouvez joindre tout autre pièce attestant de votre situation, accompagnée d'un courrier motivé.

C'est quoi un chéquier-vacances ?

Le chèque-vacances vous permet de payer vos dépenses de vacances et de loisirs chez 170 000 professionnels du tourisme et des loisirs. Hébergement, restauration, voyages, transport, culture, loisirs [...] le chèque-vacances permet de payer tout type de dépenses. Il est utilisable pour des prestations en France (y compris les DOM-TOM) et à destination des pays de l'Union Européenne. Pour savoir où et comment utiliser vos chèques-vacances, consultez le site de l'Agence Nationale des Chèques Vacances (ANCV) : www.ancv.com

463 mots

---

* Allocation : aide financière.

* Bourse : somme d'argent donnée à un étudiant ou un chercheur pour l'aider à poursuivre ses études.

D'après le site **www.jeunes.paris.fr (http://www.jeunes.paris.fr/coup-de-pouce-pour-les-vacances)**

1 • **Qui peut vous informer sur cette aide ?**

....

2 • Qu'est-ce qui a changé chez *Paris Jeunes Vacances* ?

....

3 • *Paris Jeunes Vacances* propose de financer...

    a. les vacances à Paris.

    b. les vacances des Parisiens.

    c. les vacances des Français.

4 • Dites si les affirmations suivantes sont vraies ou fausses en cochant la case correspondante et citez les passages du texte qui justifient votre réponse.

	VRAI	FAUX
a. Le service *Paris Jeunes Vacances* est valable pour les moins de 18 ans. *Justification :*		
b. Il faut vivre dans la capitale. *Justification :*		
c. L'aide *Paris Jeunes Vacances* est de 100 € uniquement. *Justification :*		

5 • Les vacances doivent...

    a. être encadrées par les parents.

    b. être d'une durée maximum de 4 jours.

    c. être à but touristique.

6 • Comment peut-on participer à *Paris Jeunes Vacances* ?

....

7 • Comment obtenir 200 euros ?

....

8 • Le chèque-vacances est valable... (Deux réponses attendues.)

    a. en France et dans les DOM-TOM.

    b. en France uniquement.

    c. dans les DOM-TOM uniquement.

    d. dans les pays européens.

    e. dans le monde entier.

Exercice 32 *Lisez le document puis répondez aux questions.*

Soutien scolaire / coaching mode d'emploi

Vous faire aider en maths, anglais ou français. Vous faire conseiller lorsque vous avez un problème de motivation ou pour mieux vous orienter. Aujourd'hui, cela n'a rien de marginal. Mais, avant, il faut bien cerner* ses besoins, puis faire attention aux différentes offres de services. Petit guide du bon utilisateur.

1. Déterminez vos besoins

Gardez un regard objectif. Avant de vous inscrire à des cours particuliers ou autres stages intensifs, la règle numéro un est savoir où ça ne va pas : rencontrez-vous des problèmes dans toutes les matières ou simplement dans une ou deux ? Dans le premier cas, vous aurez plutôt besoin d'un soutien en méthodologie. Dans le second, dans les disciplines concernées.

Faites évaluer vos problèmes. Avant de choisir un organisme de soutien scolaire, vérifiez qu'il peut vous aider à effectuer ce diagnostic. Sachez qu'en théorie, chacun y va de son «bilan de compétences» et de son «profil personnalisé». Dans les faits, seuls les leaders du secteur commencent par proposer un bilan d'évaluation au début ou à la fin du premier cours.

N'attendez pas de solution miracle. Ce n'est pas un «accident» qui doit pousser à s'inscrire à un cours de soutien mais plutôt des notes en chute constante et régulière et des difficultés de compréhension. Enfin et surtout, aucun cours de soutien ne saurait redresser une situation catastrophique. C'est ainsi quasi impossible de passer d'un 5 à un 15 sur 20. C'est souvent trop tard : les lacunes sont tellement fortes et lointaines que ce ne sont pas deux heures par semaine qui vont permettre de se remettre à niveau.

Ne faites pas durer le plaisir. Les spécialistes sont unanimes : le soutien scolaire ne doit pas durer trop longtemps. Il doit être limité dans le temps et ne doit servir qu'à remotiver l'élève.

2. Étudiez les enseignants

Assurez-vous du niveau requis. Sachez que tous les organismes mettent en avant la «qualité» de leur recrutement. À les écouter, tous leurs enseignants ont le niveau «requis par l'Éducation nationale», sont des «professeurs en exercice» ou des «élèves des grandes écoles», recrutés «pour leurs compétences, leurs qualités pédagogiques, leurs méthodes de travail et leur sérieux». Dans les faits, ne vous attendez pas à hériter à chaque cours de professeurs titulaires d'un Capes (Bac + 4*). La grande majorité des organismes élargit souvent leurs recrutements à des étudiants diplômés Bac + 3*. Lors du premier contact avec un organisme, demandez-leur clairement le niveau de leurs enseignants. [...]

420 mots

*Cerner : comprendre.

*Bac + 3 , bac + 4 : niveau d'études universitaires de 4 ans après l'examen de la fin du lycée (baccalauréat).

« Soutien scolaire/coaching mode d'emploi » Publié le 04/03/2009
http://www.phosphore.com/dossiers/phosphore/6/soutien-scolairecoaching-mode-demploi.html

1 • Ce document a pour but de...

    a. donner des conseils sur les modalités du soutien scolaire.

    b. mettre en garde sur le soutien scolaire.

    c. inciter à s'inscrire au soutien scolaire.

2 • Dites si l'affirmation suivante est vraie ou fausse en cochant la case correspondante et citez le passage du texte qui justifie votre réponse.

	VRAI	FAUX
Il est conseillé de s'inscrire au soutien et d'analyser ensuite quels sont les problèmes. *Justification :*		

3 • De quel type de soutien a-t-on besoin si on a des difficultés dans une seule matière ?

....

4 • Un bon organisme de soutien scolaire...

    a. sait vous conseiller sur le programme de travail.

    b. donne des conseils sur l'orientation après le Bac.

    c. propose un bilan à la fin du premier cours.

5 • Expliquez la phrase « ce n'est pas un accident qui doit vous pousser à s'inscrire ».

....

6 • Dites si l'affirmation suivante est vraie ou fausse en cochant la case correspondante et citez le passage du texte qui justifie votre réponse.

	VRAI	FAUX
Le soutien scolaire peut relever de manière significative le niveau d'un élève même s'il est très bas. *Justification :*		

7 • Le soutien scolaire sert surtout à...

    a. aider l'élève à comprendre ses lacunes.

    b. suivre l'élève durant toute l'année.

    c. redonner confiance à l'élève.

8 • Sur quoi le journaliste met-il en garde le lecteur ? Expliquez pourquoi avec vos propres mots.

....

Exercice 33 *Lisez le document puis répondez aux questions.*

Les jeunes plutôt confiants dans leur avenir

Malgré la crise, le premier baromètre* de la jeunesse révèle une génération individualiste et pragmatique. Les 16-30 ans croient en eux-mêmes, moins en la société.

Une jeunesse pleine de vitalité et de confiance en elle, mais très pessimiste sur l'avenir de la société. Tel est le portrait tout en paradoxe que dessine le premier baromètre Ifop* réalisé pour le ministère de la Jeunesse et que dévoile *Le Figaro*.

Loin des clichés, l'étude révèle une jeunesse solide et qui croit en elle : 93 % des Français âgés de 16 à 30 ans se disent plutôt confiants dans leur capacité à améliorer l'avenir. 82 % des étudiants pensent qu'ils trouveront un emploi correspondant à leurs études et qualifications.

« On dit qu'ils sont désenchantés et pessimistes, alors qu'ils sont plein d'énergie et de ressources, constate la sociologue Monique Dagnaud, directrice de recherches au CNRS. En fait, ils puisent cet élan dans leur famille et dans une vie sociale intense. »

C'est à l'inverse un regard très noir que les jeunes Français posent sur la société et sur ses représentants. [...] Ils sont aussi méfiants envers les autres jeunes. Sur le plan collectif, l'avenir leur semble bien obscur. Ce sentiment est plus fort encore chez les filles. « Pragmatique et très peu idéaliste, la jeunesse française n'a jamais été aussi individualiste [...] », note Guillaume Peltier, directeur de *La Lettre de l'opinion*.

Leurs préoccupations sont les mêmes que celles du reste de la population : l'emploi et le pouvoir d'achat sont cités en premier, juste avant l'environnement, la famille et la sécurité. Sujet majeur dans les années 1990, « la solidarité avec les pays pauvres » ne retient l'attention que de 4 % des jeunes [...]. Les sondés parient sur la formation et l'orientation pour améliorer l'emploi des jeunes. En matière de logement, ils proposent « l'accession à la propriété par des prêts avantageux » et le remboursement des soins est, à leurs yeux, un sujet prioritaire dans le domaine de la santé.

Insécurité physique

Très inquiets pour leur future insertion professionnelle, mais désireux de trouver une place dans la société, les jeunes rejettent massivement le système éducatif français, que 60 % des sondés jugent « pas satisfaisant ». Enfin, plus de deux jeunes sur trois disent ressentir un sentiment d'insécurité physique, de temps en temps ou souvent.

Selon Frédéric Micheau, pour l'Ifop, « ce baromètre met en évidence leur besoin de sécurité, mais aussi le sentiment qu'ils ne pourront compter que sur leurs propres forces ». D'où un certain volontarisme : 33 % des jeunes souhaiteraient ainsi devenir chef d'entreprise ou être à leur compte dans les années à venir, contre 25 % fonctionnaire et 23 % salarié d'une grande entreprise privée. Les 16-19 ans se montrent à cet égard plus audacieux* que leurs aînés.

453 mots

---

* Baromètre : instrument qui sert à mesurer des variations.

* Ifop (Institut français d'opinion publique) : organisme qui réalise des sondages d'opinion.

* Loin des clichés : contrairement à ce que tout le monde dit, à ce que tout le monde croit.

* Audacieux : courageux.

Sondage réalisé du 25 août au 2 septembre selon la méthode des quotas auprès d'un échantillon représentatif de 1 003 personnes âgées de 16 à 30 ans.

« Des jeunes plutôt confiants dans leur avenir », Delphine Chayet publié le 10/09/2010
http://www.lefigaro.fr/actualite-france/2010/09/10/01016-20100910ARTFIG00609-les-jeunes-plutot-confiants-dans-leur-avenir.php

1 • Ce sondage a permis de...

    a. confirmer l'état d'esprit des jeunes d'aujourd'hui.

    b. découvrir une nouvelle perception qu'ont les jeunes de leur vie.

    c. connaître les intentions des jeunes pour leur avenir.

2 • Dites si l'affirmation suivante est vraie ou fausse en cochant la case correspondante et citez le passage du texte qui justifie votre réponse.

	VRAI	FAUX
Les jeunes sont optimistes en ce qui concerne la recherche d'un emploi. *Justification :*		

3 • Que signifie la phrase « les jeunes Français posent un regard très noir sur la société et ses représentants » ?

....

4 • Dites si l'affirmation suivante est vraie ou fausse en cochant la case correspondante et citez le passage du texte qui justifie votre réponse.

	VRAI	FAUX
Les jeunes ont tendance à penser d'abord à eux-mêmes. *Justification :*		

5 • De quoi s'inquiètent les Français principalement ?

....

6 • Selon les personnes interrogées, comment la situation du logement pourrait-elle être améliorée ?

....

7 • Les jeunes Français s'intéressent à d'autres problèmes, lesquels ? (Deux réponses attendues.)

....

....

8 • Les jeunes d'aujourd'hui ont...

    a. plus d'ambition que leurs parents.

    b. moins d'ambition que leurs parents.

    c. autant d'ambition que leurs parents.

Exercice 34 *Lisez le document puis répondez aux questions.* ///

Un job pour l'été : mode d'emploi

Votre enfant veut travailler pendant les grandes vacances ? C'est maintenant qu'il doit chercher. Pour l'aider à trouver un job pour l'été, le magazine *Phosphore* le conseille [...].

Comment trouver un job d'été ?

- Pour travailler cet été, cherchez dès avril-mai. Et d'abord autour de vous : parents, adultes, commerçants que vous connaissez... La méthode informelle est la plus efficace.
- Pensez à demander des tuyaux* à ceux qui ont quelques années de plus que vous et qui connaissent bien votre coin*.
- Soignez votre apparence et votre contact. Les adultes sont ce qu'ils sont : les *dreadlocks**, en général, ça ne leur semble pas très sérieux. Et si vous articulez « Je suis hyper dynamique et motivé(e). » en regardant vos pieds, ça ne sera pas convaincant.
- Consultez votre mairie (les services techniques municipaux proposent de plus en plus souvent des missions d'été), le BIJ (Bureau Information Jeunesse), le PIJ (Point Information Jeunesse), le Crij (Centre Régional Information Jeunesse), la Mission locale, le site *jobdete*.

Peut-on être mineur(e) et travailler ?

- C'est possible. Dès 14 ans. Mais comme la réglementation est plus stricte pour l'employeur, certains hésitent. Raison pour laquelle de nombreuses entreprises exigent la majorité.
- Si vous êtes mineur(e), l'employeur doit vous donner au moins un jour de repos par semaine, alors que les cueilleurs de fruits majeurs enchaînent 7j/7 durant la saison.
- Le travail de nuit est interdit, certains types de tâches aussi.
- Les débits de boissons alcoolisées ne peuvent pas embaucher de mineurs.
- Si vous avez moins de 17 ans, on peut ne vous verser que 80 % du Smic* (et 90 % si vous avez entre 17 et 18 ans).
- Le contrat de travail sera signé par vos représentants légaux (parents en général), qui doivent donner leur accord.
- La journée de travail ne doit pas dépasser 7 heures, avec au moins 12 heures de repos consécutives sur 24.
- Entre 14 ans et 16 ans, on ne peut travailler que durant les vacances scolaires longues (plus de 14 jours ouvrables), et pas plus de la moitié de celles-ci. L'employeur doit avoir l'autorisation de l'inspection du travail. La journée de travail ne doit pas dépasser 7 heures avec au moins 14 heures de repos consécutives sur 24.
- Donc, si vous êtes mineur(e), vous avez plus de chance de trouver un job dans votre entourage (aider des commerçants que vous connaissez bien, travailler dans la sphère familiale, etc.).

437 mots

---

* Tuyaux : conseils.
* Votre coin : votre quartier, votre ville…
* *Dreadlocks* : cheveux tressés et emmêlés.
* Smic *Salaire minimum interprofessionnel de croissance* : en France, le salaire minimum horaire en dessous duquel aucun salarié ne peut être payé.

Le 9 mai 2012 Dossier réalisé par Anne Bideault, enquête 15-20 ans *Job d'été, ils l'ont fait !*, Phosphore, mai 2012
http://www.vosquestionsdeparents.fr/dossier/1132/ados-un-job-pour-lete/sectionId/3

1 • Le magazine *Phosphore* donne...

    a. une série d'instructions pour trouver un travail.

    b. des conseils pour réviser le programme scolaire pendant l'été.

    c. des recommandations sur le comportement des mineurs.

2 • Expliquez l'expression « la méthode informelle est la plus efficace ».

....

3 • Dites si les affirmations suivantes sont vraies ou fausses en cochant la case correspondante et citez les passages du texte qui justifient votre réponse.

	VRAI	FAUX
a. L'aspect physique et le comportement n'ont pas vraiment d'importance. *Justification :*		
b. Les services de votre commune peuvent vous venir en aide. *Justification :*		
c. Les entreprises emploient facilement des mineurs. *Justification :*		
d. Les jeunes de plus de 18 ans peuvent travailler une semaine entière sans jour de repos. *Justification :*		

4 • Les jeunes de moins de 18 ans peuvent travailler à condition... (Trois réponses attendues.)

   a. d'être bénévoles.

   b. de travailler seulement le jour.

   c. d'avoir l'autorisation des parents.

   d. que le temps de travail soit inférieur à 7 heures par semaine.

   e. d'avoir au moins un jour pour se reposer.

   f. que ce soit pendant des vacances.

5 • Citez deux types de travail évoqués dans cet article.

....

Exercice 35 *Lisez le document puis répondez aux questions.* //

Spécial secondes*

Vœux d'orientation : quelle filière choisir ?

L'heure est venue pour l'étudiant du collège de faire un choix d'orientation et d'en faire part au conseil de classe pour connaître son avis [...]. Quels critères doit-il prendre en compte : son niveau scolaire, son projet professionnel, ses goûts ? Pour trouver des réponses, lisez la suite.

Quels choix s'offrent à lui ?

Pour une décision sérieuse, il doit envisager toutes les possibilités. Un bac* général : littéraire, économique ou scientifique conduit plutôt vers des études longues*. C'est un bac qui vous laisse encore beaucoup de possibilités pour les futures études.

Un bac technologique : STI (industrie), STG (gestion), STL (laboratoire), ST2S (santé et social) est plus spécialisé. Il conduit plutôt vers des études courtes car le niveau demandé dans certaines matières comme le français, les maths, l'histoire est moins élevé qu'en voie générale. [...]

Apprendre à connaître ses goûts

Comment savoir ce qu'on aime vraiment et ce que l'on veut dans la vie à 15 ans ? Nombreux sont ceux qui préfèrent suivre l'avis du conseil de classe ou de leurs parents. Ils évitent ainsi de se poser des questions. [...] Il est important de s'orienter vers une voie où l'on se sent bien car par la suite il sera difficile de faire machine arrière*.

Pour y voir plus clair, il doit prendre un rendez-vous avec un conseiller d'orientation. Il le guidera dans ses recherches. Il discutera des matières qui dominent chaque série du lycée et de leurs correspondances avec les études post-bac. S'il ne parvient pas à délimiter les domaines qui sont susceptibles de l'intéresser, il pourra passer des tests de personnalité. Les résultats l'aiguilleront en repérant selon ses traits de caractère les domaines d'études dans lesquels il pourrait réussir et surtout se sentir bien.

Prévoir les études supérieures

Il est important que l'étudiant prenne en compte son projet d'études. Il doit opter pour une filière et un domaine d'études puis déterminer quelle série du bac lui permettra d'y accéder le plus facilement. Il doit se renseigner sur les meilleures études à choisir selon sa série [...].

Estimer son niveau scolaire

Il doit comprendre ses facilités pour déterminer les séries dans lesquelles il va réussir. Il est important de ne pas se mettre en situation d'échec pour garder sa motivation ; il est tout aussi important qu'il soit capable de décider de travailler plus pour obtenir ce qu'il veut.
[...]
Le premier objectif de ce choix est bien sûr de réussir son bac. Il doit prendre le temps de la réflexion et chercher toujours plus d'informations. [...]

417 mots

*Seconde (2ⁿᵈᵉ) : première classe du lycée en France.
*Bac (baccalauréat) : examen de la fin du lycée en France.
*Études longues : études avec parcours universitaire.
*Faire machine arrière : retourner en arrière, changer d'avis.

D'après l'article « Spécial secondes. Vœux d'orientation : quelle filière choisir ? » **Bac 2012 www.france-examen.com**
http://www.france-examen.com/espace-parents-voeux-orientation-seconde-22991.html#.T8pYtcXQvEI

1 • Cet article est...

    a. une liste de possibilité d'orientations pour les jeunes après le collège.

    b. un mode d'emploi pour l'orientation des jeunes après le collège.

    c. une critique sur les méthodes d'orientation des jeunes après le collège.

2 • **Pour prévoir des études universitaires quelles filières faut-il choisir ? (Deux réponses attendues.)**

....

3 • **Quelle est la différence entre le bac général et le bac technologique ?**

....

4 • **À qui peut-on demander conseil pour l'orientation ?**

....

5 • **Que doit savoir l'étudiant pour faire le bon choix ?**

    a. Quelles sont les disciplines étudiées dans les différentes filières du lycée.

    b. Quels sont les professeurs qui enseignent dans tel ou tel lycée.

    c. Quelles études vont développer sa personnalité.

6 • Dites si l'affirmation suivante est vraie ou fausse en cochant la case correspondante et citez le passage du texte qui justifie votre réponse.

	VRAI	FAUX
L'étudiant doit penser à ce qu'il souhaite faire après le lycée.		
Justification :		

7 • Pourquoi est-il important que l'étudiant « comprenne bien ses facilités » ?

....

8 • Quel est l'objectif principal de l'orientation ?

....

Exercice 36 *Lisez le document puis répondez aux questions.* ||||||||||||||||||||||||||||||||||||||||||||||||||||||||

L'indiscipline en classe, un phénomène mondial

Un rapport de l'OCDE, présenté mardi 16 juin, qui compare pour la première fois les conditions de travail d'enseignants du secondaire dans le monde, s'inquiète de la mauvaise conduite des 12-14 ans.

Le manque de discipline en classe est un phénomène étendu à nombre d'établissements et une menace pour la qualité de l'enseignement. L'OCDE (Organisation pour la coopération et le développement économiques) l'a constaté en procédant à une comparaison internationale sur ce thème dans les collèges. Une première dans le cadre d'une enquête plus large sur les conditions de travail des enseignants (enquête *Talis*).

Le volumineux rapport (307 pages) a été présenté, mardi 16 juin, à la Commission européenne, qui a cofinancé cette enquête menée auprès de 90 000 enseignants du secondaire, public comme privé, travaillant auprès des 12-14 ans. Les enseignants interrogés, des femmes pour l'essentiel, proviennent de centaines d'établissements choisis « au hasard » dans 23 pays.

Des élèves plus dissipés* à l'ouest qu'à l'est de l'Europe

Cette première évaluation reste très partielle car de grands pays manquent à l'appel : les États-Unis, la France, l'Allemagne, le Royaume-Uni et le Canada. Mais, conduite en Espagne, Italie, Belgique, et dans des pays d'Europe de l'Est, elle fait ressortir des tendances communes.

Notamment, le manque de discipline mesuré en questionnant les enseignants sur leur temps passé en début de cours à obtenir le calme, sur l'interruption de la leçon à cause d'élèves agités, sur le niveau sonore général en classe et sur l'implication des élèves pour créer un climat favorable à l'apprentissage.

L'évaluation de ce phénomène général fait toutefois apparaître un clivage Est-Ouest en Europe. Alors que les enseignants italiens, espagnols et portugais passent largement plus de 14 % de leur temps à ramener l'ordre dans leur classe au lieu de faire cours, ce pourcentage reste proche ou sous les 10 % en Pologne, Lituanie, Estonie, Slovaquie ou Bulgarie.

Dans d'autres régions du monde, comme au Mexique, au Brésil, en Turquie, en Australie, en Malaisie ou en Corée, il dépasse les 13 %, moyenne des pays étudiés. Au total, « dans trois établissements sur cinq, la mauvaise conduite des élèves en classe est source de perturbation des cours ».

Impliquer davantage les élèves

« Des classes plus petites, des enseignants plus expérimentés, une pédagogie structurée améliorent le climat de la classe », avance Michael Davidson, expert à l'OCDE présentant l'étude. « Les enseignants qui font du travail en groupe ou utilisent d'autres outils pédagogiques modernes impliquant les élèves ont moins de problèmes que ceux qui en restent aux méthodes traditionnelles », ajoute Odile Quintin.

La directrice générale de l'éducation à la Commission, espère que la France, marquée par « la ghettoïsation* de l'enseignement et le manque de formation continue des professeurs », s'intéressera à l'enquête. Par ailleurs, l'OCDE montre que ce sont les enseignants les plus jeunes et aux contrats les moins stables qui sont les plus exposés aux classes difficiles.

486 mots

*Dissipés : qui ont des problèmes de discipline.
*Ghéttoïsation : fait de ne pas s'ouvrir, de rester fermé.

Source : « L'indiscipline en classe, un phénomène mondial » – La Croix 16/06/09
http://www.la-croix.com/Actualite/S-informer/Monde/L-indiscipline-en-classe-un-phenomene-mondial-_NG_-2009-06-16-536115

1 • Quel est le problème soulevé par ce rapport ?

....

2 • Où le rapport a-t-il été présenté ?

....

3 • Dites si les affirmations suivantes sont vraies ou fausses en cochant la case correspondante et citez les passages du texte qui justifient votre réponse.

	VRAI	FAUX
a. Il n'y avait eu aucune enquête similaire auparavant. *Justification :*		
b. L'enquête se base uniquement sur les écoles publiques. *Justification :*		
c. Le Canada a participé à l'enquête. *Justification :*		

4 • De quels problèmes les enseignants ont-ils parlé ? (Deux réponses possibles.)

    a. L'implication des élèves.

    b. Le manque de matériel.

    c. Les problèmes de climatisation.

    d. Le niveau sonore en classe.

    e. Le nombre d'élèves par classe.

5 • Complétez le tableau ci-dessous en cochant les bonnes réponses.

Temps nécessaire pour obtenir le calme	Lituanie	Mexique	Espagne	Malaisie	Italie	Bulgarie	Turquie	Estonie
+ de 14 %								
− de 10 %								
+ de 13 %								

6 • Quelles sont les solutions d'après Michael Davidson ? (Deux réponses attendues.)

....

7 • Quels professeurs sont les plus confrontés à ces problèmes ?

....

Exercice 37 *Lisez le document puis répondez aux questions.*

Nutrition/obésité : une école de banlieue suscite l'admiration des États-Unis

« Manger cinq fruits et légumes par jour ? Yes we can », ont entonné* jeudi des élèves de l'école René-Descartes d'Asnières (Hauts-de-Seine), suscitant l'admiration de la secrétaire américaine à la Santé, Kathleen Sebelius. Dans cette école de 500 élèves, classée en zone urbaine sensible, les élèves mangent dans leur cantine du pain bio et bientôt des carottes d'un agriculteur de la région. Ils participent chaque mois à des ateliers du goût et font de nombreuses activités sportives.

D'ici 2013, les 17 écoles de la ville seront équipées de ce self*, proposé par le groupe *Avenance* (Elior), qui permet à l'enfant de choisir son repas tout en étant « piloté » et en mangeant à son rythme, dans une ambiance bien moins bruyante qu'un réfectoire* ordinaire.

« Les 5 000 enfants âgés de 5 à 10 ans de la ville sont pesés chaque année. Ils sont visés prioritairement par la politique municipale de prévention de l'obésité », a expliqué le maire PS, Sébastien Pietrasanta. « Chez les enfants, la période de 3 à 10 ans est une période d'apprentissage intense. C'est pourquoi il est crucial que ces bonnes pratiques soient diffusées et mises en œuvre par les collectivités locales. Asnières est exemplaire pour son application du plan nutrition santé et lutte contre l'obésité », s'est félicité la secrétaire d'État française chargée de la Santé.

Des initiatives considérées comme « très intéressantes » par Mme Sebelius, venue visiter cette école de banlieue parisienne, alors que la première dame américaine Michelle Obama se bat depuis début 2010 contre l'obésité infantile avec sa campagne « Let's move » (*Bougeons-nous*).

Au terme de la visite, Kathleen Sebelius a expliqué à l'AFP qu'elle allait parler, dès son retour, au couple Obama de ces initiatives, qui apprennent aux enfants les bons réflexes tout en restant ludiques.

« Nous cherchons à nous inspirer des meilleurs exemples pour les appliquer aux États-Unis et cette école est un très bon exemple à suivre », a affirmé l'ambassadeur des États-Unis, Charles Rivkin. Le maire d'Asnières, à l'origine de cette invitation américaine, a rappelé que « grâce à ces actions municipales, le pourcentage des jeunes Asniérois en situation de surpoids ou d'obésité a baissé de près de 1 % par an, permettant à Asnières de se rapprocher de la moyenne nationale de 19 % ». Avant la mise en place de cette démarche en 2005, ce taux était de 25 %.

389 mots

*Ont entonné : ont chanté joyeusement.
*Self : restaurant scolaire où l'on se sert tout seul.
*Réfectoire : restaurant scolaire.

Source : Article « Nutrition/obésité : une école de banlieue suscite l'admiration des Etats-Unis » - vousnousils.fr, le 8 décembre 2011
http://www.vousnousils.fr/2011/12/08/nutritionobesite-une-ecole-de-banlieue-suscite-ladmiration-des-etats-unis-2-518021

1 • L'article présente...

   a. un projet contre l'obésité aux États-Unis.

   b. un projet mené dans une école française.

   c. un projet international qui n'est pas encore réalisé.

2 • Quels représentants américains ont visité l'école d'Asnières ?

   a. La Secrétaire Américaine à la Santé.

   b. Le Président des États-Unis.

   c. La première dame américaine.

3 • Dites si les affirmations suivantes sont vraies ou fausses en cochant la case correspondante et citez les passages du texte qui justifient votre réponse.

	VRAI	FAUX
a. Les élèves apprennent à fabriquer du pain biologique. Justification :		
b. L'école organise des activités sur le thème du goût. Justification :		
c. En France, les cantines « normales » ne sont pas bruyantes. Justification :		

4 • Pourquoi la prévention de l'obésité est importante chez les moins de 10 ans ?

....

5 • Le jugement que porte la secrétaire d'État française sur la ville d'Asnières est...

  a. positif.   **b.** négatif.   **c.** neutre.

6 • Quel était l'objectif de cette visite pour les diplomates américains ?

....

7 • En 2004, le taux d'obésité à Asnières était...

  a. plus élevé.   **b.** moins élevé.   **c.** identique.

Exercice 38 *Lisez le document puis répondez aux questions.* //

PEUT-ON ENSEIGNER GRÂCE À LA CULTURE POPULAIRE ?

Plusieurs initiatives encouragent ces derniers temps l'utilisation de films, bandes dessinées ou livres destinés au grand public comme supports pédagogiques pour enseigner. Réviser l'histoire en regardant un film de guerre, une série télévisée ou en lisant une BD ? L'idée paraît farfelue*, mais ces derniers temps, plusieurs initiatives semblent aller dans le sens d'un enseignement par la culture populaire.

La rédaction de l'*Étudiant* a lancé il y a quelques jours *Bac fiction*, un blog proposant une sélection de ressources tirées de la culture populaire comme outils d'aide à la révision du baccalauréat*. Ils sont tous destinés au grand public, mais les films, bandes dessinées, séries télévisées ou livres proposés ont été sélectionnés par des enseignants. À chaque ressource correspond une fiche pratique précisant le chapitre du programme s'y rattachant, les quelques points essentiels à retenir pour le bac, et parfois les conseils d'un enseignant détaillant de quelle manière il est intéressant de l'utiliser dans une copie. Le site est destiné en priorité aux élèves, mais les enseignants en manque d'idées pour illustrer leurs cours pourront y prendre quelques bonnes idées. Par exemple, la série *Band of Brothers* ou le film *Platoon*, en général très appréciés par les élèves, permettront d'aborder de manière ludique les principaux chapitres du programme d'histoire !

Le blog se limite pour l'instant aux révisions d'histoire, de philosophie et de SES*. Mais le nombre de matières pourrait s'étoffer prochainement.

Les BD, nouveaux manuels scolaires ?

Certaines bandes dessinées sont très réalistes et ressemblent à de véritables documentaires. La saga *Murena*, par exemple, de Philippe Delaby et Jean Dufaux, est si bien documentée qu'elle est recommandée par le magazine *Historia*.

Preuve que l'idée n'est pas si extravagante, l'Université de Pau et des pays de l'Adour organisait fin novembre un colloque entier sur la bande dessinée historique. Les interventions et les documents attachés sont consultables sur le site de l'Université de Pau.

Elsa Doladille

325 mots

*Farfelu : étrange, étonnant.
*Baccalauréat : examen en France à la fin du lycée.
*SES : Science Économique et Sociale.

D'après l'article « Peut-on enseigner grâce à la culture populaire ? » - vousnousils.fr, le 19 décembre 2011
http://www.vousnousils.fr/2011/12/19/peut-on-enseigner-grace-a-la-culture-populaire-518170

1 ● L'article traite de la culture populaire pour...

    a. les loisirs.   **b.** l'enseignement.   **c.** la vie professionnelle.

2. ● Quels sont les supports pédagogiques de la culture populaire ? (Deux réponses possibles.)

    a. Les lectures obligatoires.
    b. Les films et séries télévisées.
    c. Les bandes dessinées.
    d. Les manuels scolaires.
    e. Les sites Internet d'autoapprentissage.

3 ● Au départ, ces supports sont créés pour...

    ....

4. ● La rédaction de l'*Étudiant* a réalisé...

    a. un blog pour réviser le baccalauréat.
    b. un blog d'orientation professionnelle.
    c. un blog pour faire connaître les grands succès du cinéma.

5 ● Dites si les affirmations suivantes sont vraies ou fausses en cochant la case correspondante et citez les passages du texte qui justifient votre réponse.

	VRAI	FAUX
a. Le site est fait principalement pour les enseignants. *Justification :*		
b. Les élèves n'aiment pas voir les séries sur l'histoire. *Justification :*		
c. Le blog permet d'apprendre le français par la culture populaire. *Justification :*		

6 ● Citez deux qualités attribuées à la saga *Murena* ?

    ....

7 ● Quel est le thème du colloque à l'Université de Pau ?

    ....

8 ● Comment faire pour connaître la liste des conférences ?

    ....

Exercice 39 *Lisez le document puis répondez aux questions.*

Langage SMS : une piste pour réconcilier les élèves avec l'orthographe ?

Téléphones portables, *Twitter*, MSN, ces moyens de communication prisés par les adolescents sont souvent mis en cause dans la chute de leur niveau en français. À contre-courant, Phil Marso a créé un langage inspiré du SMS pour servir de passerelle* entre le français classique et le texto* employé par les adolescents. Il explique sa démarche à *VousNousIls*.

Vous avez écrit, en 2005, un manuel scolaire du langage SMS, *CP SMS*, pour apprendre les bases de l'écriture texto. Pourquoi ?

Mon livre expliquait l'écriture SMS mais faisait surtout découvrir la PMS (*Phonétique Muse Service*). La PMS est une passerelle pédagogique entre le SMS abrégé (Téléphone portable, MSN, Internet) et la langue française. L'objectif est d'aider des élèves en difficulté par des exercices de traduction de la PMS au français. Il vise aussi un public senior, puisqu'il permet de faire travailler la mémoire.

Les élèves en difficulté font souvent la confusion entre la langue française et le SMS abrégé, puisqu'ils s'équipent de téléphones portables de plus en plus tôt. La PMS dispose de règles tout en gardant le côté ludique du texto. Elle pourrait donc être enseignée dans un cadre très précis. Dans l'immédiat, la PMS reste expérimentale, mais est sans aucun doute une piste pédagogique que je m'efforce de faire connaître.

Dans quel but avez-vous créé ce nouveau langage, et quelles en sont les règles d'écriture ?

Après avoir publié en janvier 2004 *Pa sage a taba vo SMS*, un livre écrit en langage texto, j'ai eu deux retours positifs. L'un venant d'orthophonistes qui avaient utilisé des extraits auprès de leurs patients. L'autre d'un professeur de français enseignant à Berlin. C'est là que je me suis dit qu'il y avait des vertus* au langage SMS à condition qu'il soit plus lisible. J'ai donc publié un second ouvrage bilingue. Pour que le récit en SMS soit plus lisible pour le lecteur, j'ai introduit l'apostrophe dans l'écriture. Ceci permet de séparer les syllabes et d'indiquer le son phonétique. Tout d'un coup, l'écriture SMS entrait dans une nouvelle dimension. Il n'était plus question de faire le plus court possible, mais le plus lisible possible. J'ai intitulé ce dérivé du SMS la PMS. Ensuite, j'ai introduit des nouveaux caractères : ¥, Ø, Ñ, ð...

Recevez-vous des critiques des défenseurs de l'orthographe traditionnelle ?

Après la publication de *Pa sage a taba vo SMS*, chaque semaine j'avais un forum sur Internet qui ouvrait un débat sur l'ouvrage. Pendant un an et demi, j'ai été beaucoup critiqué. Il m'arrivait parfois d'intervenir sur ces forums afin d'expliquer ma démarche. On me rendait responsable de la disparition future de la langue française. Maintenant, quand je parle de PMS, l'attitude change.

Quels sont vos projets concernant la PMS ?

Depuis deux semaines, je propose des ateliers SMS / PMS au grand public. Mon souhait est de pouvoir commencer à proposer des « formations » aux enseignants, éducateurs pour mettre en pratique ma méthode. De mon côté, je suis en train d'écrire un nouveau livre, mais cette fois-ci, en français.

Elsa Doladille
509 mots

*Servir de passerelle : créer un lien, servir de pont.
*Les SMS ou textos sont les messages électroniques envoyés par les téléphones portables.
*Les vertus : quelque chose de positif, des qualités.

D'après l'article « Langage SMS : une piste pour réconcilier les élèves avec l'orthographe ?» - vousnousils.fr, le 21 mars 2012, Elsa Doladille
http://www.vousnousils.fr/2012/03/21/langage-sms-une-piste-pour-reconcilier-les-eleves-avec-lorthographe-523515

1. • **Quel est le thème principal de l'article ?**

   a. Les fautes d'orthographe.   **b.** Les nouvelles technologies.   **c.** La création d'un nouveau langage.

2 • **Avec son livre édité en 2005, Phil Marso voulait...**

   a. parler des nouveaux moyens de communication.
   b. expliquer l'écriture SMS.
   c. faire découvrir la PMS.

3 • **Quel est l'intérêt de la PMS d'après l'auteur ?**

   ....

4 • Dites si les affirmations suivantes sont vraies ou fausses en cochant la case correspondante et citez les passages du texte qui justifient votre réponse.

	VRAI	FAUX
a. Le langage PMS est utilisé uniquement pour les jeunes. *Justification :*		
b. Certains élèves ne font pas la différence entre le français et le langage texto. *Justification :*		
c. L'auteur affirme que la PMS est un langage définitif. *Justification :*		

5 • L'objectif de la PMS est d'écrire de la manière....

    a. la plus courte possible.   **b.** la plus longue possible.   **c.** la plus claire possible.

6 • Quelles ont été les critiques faites à Phil Marso ?

....

7 • Aujourd'hui, l'attitude des gens envers la PMS est...

    a. plus positive.   **b.** plus négative.   **c.** identique.

8 • Actuellement, Phil Marso...

    a. écrit un livre en SMS.
    b. anime des ateliers SMS/PMS.
    c. donne des formations aux professeurs.

Épreuve blanche de compréhension écrite ... / 25 points

Exercice 1 *Répondez aux questions, en cochant (✓) la bonne réponse ou en écrivant l'information demandée.*

... / 10 points

Vous êtes dans une école en France et vous souhaitez vous inscrire à une activité pendant la pause déjeuner. Vous choisissez selon les critères suivants :
- vous êtes en classe de 4e ;
- vous voulez faire une activité de 1 h 30 maximum par semaine ;
- vous êtes passionné par la culture japonaise ;
- vous voulez faire une activité à l'extérieur ;
- vous n'aimez pas être face à un public.

Vous avez lu ces quatre annonces dans le programme de l'école.

Atelier théâtre

Bienvenue à l'atelier théâtre ! Rejoignez la troupe du collège pour découvrir l'art de la scène et préparer le spectacle de fin d'année. Cette année nous préparons une adaptation théâtrale de contes japonais en collaboration avec des élèves de musique venus du Japon.

L'inscription se fait auprès du professeur de français, monsieur Gobert. L'atelier aura lieu dans la salle de conférence au premier étage.

Durée : tous les jours sauf le mardi, de 13 h 30 à 15 h 00.

Attention ! L'atelier est ouvert uniquement aux élèves de 4e et de 3e.

Atelier poésie

L'atelier poésie de l'école est animé par Françoise Tillier, professeur-documentaliste. Elle choisit un thème par séance et met à la disposition des élèves des documents pour les aider à trouver l'inspiration... Des textes en prose aux alexandrins, vous découvrirez le vaste monde de la poésie.

Horaires : de 13 h à 14 h 30, les mardis et jeudis pour les élèves de 6e et de 5e et de 13 h à 15 h, les mercredis et les vendredis, pour les 4e et les 3e.

L'atelier se déroule dans le jardin de la bibliothèque.

Atelier dessin / manga

Vous êtes passionné de manga japonais et vous rêvez d'en écrire un ? L'atelier dessin propose maintenant un cours « spécial manga ». Vous apprendrez à créer vos personnages et à écrire une histoire.
L'atelier Manga est ouvert à tous les élèves.
Il se déroule dans la classe de dessin, tous les mardis de 13 h à 13 h 45.
Les inscriptions se font sur la liste affichée sur la vitre la Vie scolaire.

Atelier vidéo

Cette année, l'atelier vidéo a lieu le jeudi de 13 h 15 à 14 h 45 pour les élèves de 5e et de 4e. Il est encadré par deux intervenants de la Maison de l'Image.
L'atelier vidéo est une invitation à la découverte du 7e art. Vous y apprendrez à écrire un scénario, utiliser une caméra et, bien sûr, à diriger des acteurs. À vous de choisir le thème et le style de votre court-métrage. Vous pouvez aussi faire un documentaire sur un sujet qui vous passionne.
Une partie du cours se déroule dans l'établissement et le tournage dans la ville.
(Autorisation parentale indispensable.)

	Atelier théâtre		Atelier poésie		Atelier dessin		Atelier vidéo	
	OUI	NON	OUI	NON	OUI	NON	OUI	NON
Classe								
Durée								
Culture japonaise								
Extérieur								
Public								

Quel atelier choisissez-vous ?

....

Exercice 2 *Lisez le document puis répondez aux questions.* ///

... / 15 points

Psychologie des enfants :

le Web a-t-il changé le comportement des adolescents ?

La plupart des ados utilisent le Web pour communiquer, exposer leur vie privée au regard de leurs nombreux « amis », partager ce qu'ils aiment ou détestent… pour le plus grand bonheur de certaines marques ! Tout ce que leurs aînés n'avaient jamais expérimenté. Décryptage.

Des ados à la recherche de leur identité

Pour Serge Tisseron, psychiatre spécialiste de l'image, les réseaux sociaux et les blogs sont des lieux d' « extimité »* où les ados peuvent rendre visibles certains aspects d'eux-mêmes. On s'y construit une image : qui on est, ce qu'on aime et ce que cela dit de nous. On rejoint des groupes, on *like* des pages et des contenus sur *Facebook*… L'engouement pour les réseaux sociaux entraîne un changement dans les relations sociales, le rapport à soi-même et aux autres. C'est la théorie du miroir du psychiatre : les jeunes découvrent des images d'eux-mêmes différentes à travers le miroir, image inversée et, ce qui est nouveau, à travers les écrans. Ils explorent ces différentes identités et s'en servent de déguisements.

Cela devient problématique lorsque les adolescents cherchent à travers les yeux des autres internautes l'admiration et l'approbation.

Attention aux plus jeunes !

Le psychiatre souligne le risque de surexposition : selon lui, ce n'est que vers 13-15 ans que l'on s'est forgé des centres d'intérêt et qu'on peut les partager. Il faut demander aux ados d'attendre cet âge avant de rejoindre ces sites car, pour « nourrir » le réseau, les plus jeunes peuvent être tentés de publier des textes ou des photos trop intimes qui resteront à jamais sur la toile.

La fin de la vie privée ?

Peu d'adolescents protègent leur vie privée sur Internet. 41 % des 11-15 ans ont déjà croisé sur Internet des infos personnelles diffusées par d'autres à leur insu. Et les ados diffusent aussi les données de leurs copains et copines sans leur autorisation… Peu d'entre eux osent d'ailleurs demander leur retrait.

[…] Préserver sa vie privée à tout prix est une préoccupation des générations précédentes : les ados seraient en train de réinventer le concept de « vie privée »…

En attendant, les parents doivent continuer à expliquer à leur enfant ce qu'est le droit à l'image, leur rappeler qu'on n'écrit pas sur Internet ce qu'on ne dirait pas dans la « vraie vie » et que, pour l'instant, rien de ce qui est publié n'est effacé !

400 mots

* L'extimité est, par opposition à l'intimité, le désir de rendre visibles certains aspects d'une personne qui étaient considérés comme intimes.

D'après l'article « le Web a-t-il changé le comportement des adolescents ? » le 14 mai 2012 Stéphanie Lambert
http://www.vosquestionsdeparents.fr/dossier/1141/psychologie-des-enfants-le-web-a-t-il-change-le-comportement-des-adolescents

1 • Ce texte traite principalement… ... / 1 point

    a. de la vie personnelle des adolescents sur Internet.

    b. de la publicité pour les marques, sur Internet.

    c. des sites Internet visités par les adolescents.

2 • Que font les adolescents sur le web, en général ? (Deux réponses attendues.) ... / 2 points

....

3 • Que modifie le fort développement des réseaux sociaux chez les adolescents ? ... / 2 points

....

4 • Dites si les affirmations suivantes sont vraies ou fausses en cochant la case correspondante et citez les passages du texte qui justifient votre réponse. (1,5 point/réponse)

... / 6 points

	VRAI	FAUX
a. La recherche de l'admiration des autres est positive. *Justification :*		
b. Le psychiatre conseille d'attendre l'âge de 11 ans avant de s'inscrire sur les réseaux sociaux. *Justification :*		
c. Les jeunes adolescents insèrent des informations trop personnelles sur eux-mêmes. *Justification :*		
d. Beaucoup de jeunes font attention à leur image sur Internet. *Justification :*		

5 • « Des infos personnelles sont publiées à leur insu » signifie que... ... / 1 point

    a. des informations sont publiées avec l'accord de la personne concernée.
    b. des informations sont publiées sans l'accord de la personne concernée.
    c. des informations personnelles sont publiées sur des sites inconnus.

6 • Quelle différence existe-t-il entre les adolescents et les générations précédentes ? ... / 2 points

....

7 • Que doivent expliquer les parents à leurs enfants ? ... / 1 point

    a. Comment ils peuvent insérer des images sur Internet.
    b. Ce qu'ils peuvent publier sur Internet.
    c. Comment ils peuvent éliminer des informations publiées sur Internet.

Production écrite

Décrire, raconter et exprimer des sentiments, donner une opinion

L'épreuve de production écrite

Conseils pratiques

La production écrite, qu'est-ce que c'est ?
La production écrite est le troisième exercice des épreuves collectives. Vous devez écrire un texte de 160 mots minimum.

Combien de temps dure la production écrite ?
La production écrite dure 45 minutes. Il y a un seul exercice, vous avez du temps, il faut en profiter pour bien se relire.

Comment dois-je répondre ?
Vous pouvez utiliser une feuille de brouillon pour écrire votre texte une première fois. Vous devez ensuite recopier votre écrit sur la copie d'examen.

Combien y a-t-il d'exercices ?
Il y a un exercice.

Qu'est-ce que je dois faire ?

1. Lire **attentivement** la consigne.
2. Écrire son texte **une première fois** sur une feuille de brouillon.
3. Relire pour vérifier que **vous avez bien répondu à la consigne**.
4. Se relire encore une ou deux fois pour **vérifier l'orthographe**.
5. Compter le nombre de mots et **l'écrire en bas de la copie** d'examen.
6. Écrire son texte **au propre et au stylo bleu ou noir** sur la copie d'examen.

Exercices	Types d'exercice	Questions	Nombre de points
Exercice 1	Décrire des expériences et des événements et donner son opinion.	Dans cet exercice, on peut vous demander d'écrire une lettre personnelle ou formelle, un article ou un essai de 160 à 180 mots. La consigne expose une situation. Elle vous indique ce que vous devez écrire, pourquoi et à qui est destiné votre écrit. Il est très important, dans cet exercice, de donner votre point de vue. **On peut vous demander :** 1. d'exprimer votre opinion sur un forum ou dans un article de journal ; 2. d'écrire une lettre formelle pour demander quelque chose ou pour protester ; 3. d'écrire une lettre personnelle pour répondre à quelqu'un dans un courrier des lecteurs.	25 points

Conseils du coach

1 • La consigne vous donne toutes les informations sur ce que vous devez écrire. Il faut la **lire plusieurs fois** et souligner les mots les plus importants pour être sûr de ne rien oublier. Votre objectif : répondre exactement à la consigne en 160 mots ou plus.

2 • Vous devez **identifier le genre de texte** demandé (lettre, article, essai...) et **le destinataire** (un professeur, les lecteurs d'un journal, etc.).

3 • N'oubliez pas d'**adapter votre langage au destinataire**. Vous pouvez être amené à vous exprimer dans un forum pour adolescents ou à écrire à un professeur ou au directeur de l'école.

4 • Au début de votre écrit, **choisissez la bonne formule** pour commencer : *Chers lecteurs*, pour un courrier des lecteurs, *Cher/Chère...*, si vous répondez à un courrier d'un autre étudiant dans le journal ou *Monsieur/Madame*, si vous écrivez à un professeur, etc.

5 • Avant d'écrire, **notez et organisez vos idées** sur une feuille de brouillon. Ensuite, écrivez votre texte une première fois sur cette feuille de brouillon avant de le recopier sur la copie d'examen.

6 • Écrivez des **phrases avec des mots que vous connaissez**. N'écrivez pas un texte trop long (vous risquez de faire plus de fautes). Attention, votre texte doit être de **160 mots minimum** !

7 • N'oubliez pas de donner des **exemples tirés de votre expérience personnelle** pour illustrer votre récit et pour exprimer votre opinion.

8 • Lisez une première fois votre texte et demandez-vous si **vous avez bien répondu à la consigne**. Puis lisez votre texte plusieurs fois et concentrez-vous à chaque lecture sur un type de fautes :
   - 1ère lecture : vérifier les pluriels des noms et des adjectifs (avez-vous oublié un « s » ou un « x » ?) et l'accord des genres (masculin / féminin), l'orthographe des mots, etc.
   - 2ème lecture : concentrez-vous sur l'utilisation des temps et les terminaisons des verbes (utilisation du passé composé ou de l'imparfait pour raconter au passé, du présent pour décrire le moment actuel et du futur proche pour parler du futur.)
   - 3ème lecture : concentrez-vous sur l'organisation de vos phrases et demandez-vous si les formulations sont correctes et si vous n'avez pas été trop influencé par votre langue maternelle.

9 • Faites attention à la mise en page et utilisez une **écriture claire** et **lisible**. Le correcteur doit pouvoir lire votre texte facilement.

Production écrite

Grille d'évaluation de la production écrite commentée

Pour bien réussir la production écrite, vous devez savoir exactement ce que l'on attend de vous.

L'épreuve de production écrite est notée à l'aide d'une grille. Cette grille de notation est divisée en plusieurs parties qui permettent au correcteur de vérifier que le candidat a bien écrit tout ce qui lui est demandé dans la consigne. Pour le DELF B1, la grille de production écrite est divisée en trois parties :

- la première vérifie que vous avez bien répondu à la consigne et que vous arrivez à exprimer vos idées ;
- la deuxième partie vérifie que vous connaissez suffisamment de lexique et que vous savez l'utiliser et l'écrire correctement ;
- la troisième partie contrôle vos capacités en grammaire au niveau B1.

Essai – lettre personnelle ou formelle, prise de position, rapport   25 points

Respect de la consigne Si la consigne est « Faut-il tout raconter à ses parents ? » Répondez à cette question sur le forum adojeunes.fr. Vous racontez votre expérience et vous donnez votre opinion », vous devez écrire un <u>essai</u> d'au moins 160 mots qui répond à la consigne.	2 points
Capacité à présenter des faits Vous répondez à la partie de la consigne concernant le récit de votre expérience : « Vous racontez votre expérience », vous dites si vous « racontez tout à vos parents » et vous donnez des exemples.	4 points
Capacité à exprimer sa pensée Vous répondez à la partie de la consigne concernant l'expression d'un point de vue : « Vous donnez votre opinion », vous dites si vous pensez qu'il faut tout raconter et vous donnez des exemples. Vous utilisez des expressions comme *je pense que, d'après moi, pour moi, à mon avis*, etc.	4 points
Cohérence et cohésion Vous devez raconter une expérience de manière logique. Les idées ne doivent pas se contredire. Les phrases sont reliées correctement avec des mots de liaison simples (*et, aussi, enfin, d'abord, donc, bien que, mais, pourtant...*).	3 points
Étendue du vocabulaire Vous devez utiliser un vocabulaire varié et riche qui correspond au sujet proposé et au niveau B1. Vous devez éviter les répétitions.	2 points
Maîtrise du vocabulaire Vous devez utiliser un vocabulaire adapté à la situation (famille, loisirs, société, école, voyages, actualité...). Attention au sens et à ne pas utiliser un mot à la place d'un autre !	2 points
Maîtrise de l'orthographe lexicale Vous devez écrire les mots correctement. Vous ne devez pas oublier la ponctuation (. , ... majuscules en début de phrase). Vous devez faire des paragraphes.	2 points
Degré d'élaboration des phrases Vous devez savoir bien écrire les phrases simples (sujet + verbe) et quelques expressions toute faites, quelques phrases complexes les plus courantes par exemple, l'expression de la cause (*car, parce que, puisque*), du but (*afin que, pour...*), les phrases contenant des relatives (introduites par *qui, que, où,)*, etc.	2 points
Choix des temps et des modes Vous devez savoir choisir les temps et les modes qui correspondent à la consigne : bien utiliser les temps du passé si on vous demande de raconter une expérience passée.	2 points
Morphosyntaxe – orthographe grammaticale Vous devez respecter les règles de grammaire correspondant au niveau B1 (accords, conjugaison des verbes, etc.).	2 points

Production écrite

Copie témoin de production écrite

Forum adosjeunes.fr
Faut-il tout raconter à ses parents ? Répondez à cette question sur le forum adojeunes.fr. Vous racontez votre expérience et vous donnez votre opinion.

Bonjour à tous,

Je m'appelle Carlo, j'ai 16 ans, j'ai lu la question de la semaine et j'ai décidé de répondre parce que c'est un sujet qui me concerne directement.

Pour ma part, je crois qu'il faut raconter mais pas tout... cela ne veut pas dire mentir !

Raconter tous les petits problèmes pourrait inquiéter nos parents inutilement. Souvent, j'arrive à les résoudre tout seul.

Par contre, quand c'est grave et qu'on a des difficultés à trouver des solutions, je pense qu'il ne faut pas attendre. Moi, j'en parle toujours. Par exemple, pendant une période, le professeur de maths n'arrêtait pas de me punir mais ce n'était jamais de ma faute. Je n'osais pas en parler au professeur alors, à la fin, je me suis confié à mes parents et ils ont résolu mon problème.

Je leur parle aussi des belles choses qui m'arrivent comme une fête qui s'est bien passée, un cadeau que j'ai reçu. Ils sont contents de partager mes joies.

Ce qu'il vaut mieux ne pas dévoiler, moi en tous cas, je ne raconte JAMAIS, ce sont les histoires de cœur, ça c'est notre vie privée !

À bientôt sur le forum !

Carlo

176 mots

Analyse de la copie

Respect de la consigne : Il s'agit bien d'un essai qui répond à la question et est adressé à des lecteurs d'un forum. Il y a 176 mots.

Capacité à présenter des faits : Le candidat raconte son expérience, donne des exemples le concernant pour illustrer.

Capacité à exprimer sa pensée : Le candidat donne son opinion sur la question posée et dit pourquoi. Utilise *pour ma part, je crois, je pense que, il vaut mieux...*

Cohérence/cohésion : Le récit est logique, le candidat utilise des mots de liaison (*et, parce que, alors, par contre, par exemple...*).

Étendue du vocabulaire : Le vocabulaire correspond au sujet et est varié pour ce niveau.

Maîtrise du vocabulaire : Il n'y a pas de contresens, le vocabulaire est constamment utilisé correctement.

Maîtrise de l'orthographe lexicale : Il n'y a pas d'erreur orthographique, la ponctuation est correcte et on retrouve des paragraphes pour séparer les différentes parties.

Degré d'élaboration des phrases : Les constructions sont correctes. Quelques expressions toutes faites et des structures complexes.

Choix des temps et des modes : Cette copie ne comporte pas d'erreurs.

Morphosyntaxe – orthographe grammaticale : Cette copie ne comporte pas d'erreurs.

Production écrite

Décrire, raconter et exprimer des sentiments, donner une opinion

I — Écrire une lettre personnelle ou formelle

> Dans cet exercice, vous devez écrire une lettre à des amis ou des adultes. Identifiez bien votre interlocuteur et utilisez les formes habituelles de la correspondance pour saluer et prendre congé.

• Dans le cadre de l'école

Exercice 1 Vous êtes dans un collège, en France. Vous lisez cette communication signée par le directeur sur le panneau d'affichage :

À partir du mois de janvier, le Centre de documentation sera fermé de 13 h à 14 h. Les élèves pourront y accéder avant le début des cours, de 8 h à 8 h 30, après les cours, de 16 h 30 à 17 h 00, et pendant les heures libres de la journée.

> Attention, pensez à la manière dont vous allez vous adresser au directeur (utilisation du *vous*, forme de politesse, etc.) !

Vous écrivez au directeur au nom des élèves de votre classe. Vous dites quelles sont les habitudes des élèves qui vont au Centre de documentation et pourquoi ils le fréquentent. Vous donnez votre opinion concernant cette décision. (160 à 180 mots.)

> Essayez toujours d'avoir une opinion modérée. Évitez de faire des accusations trop directes.

Production écrite

Exercice 2   Vous avez appris que, dans quelques années, le français ne sera plus enseigné dans votre école et qu'il sera remplacé par une autre langue étrangère. Vous écrivez à votre professeur de français. Vous lui décrivez votre expérience d'apprenant de français et lui dites ce que vous pensez de cette initiative. (160 à 180 mots.)

Lisez bien la consigne et soulignez les mots clés. Ici, on vous demande de décrire votre expérience et de donner votre opinion.

....

....

....

....

....

....

....

....

....

....

....

....

Exercice 3   Vous êtes dans une école, en France. Vous avez lu cette annonce sur le panneau d'affichage :

> *À cause des problèmes rencontrés l'an passé et pour des questions d'organisation, les voyages linguistiques de fin d'année n'auront pas lieu cette année. Les élèves pourront participer à d'autres activités qui seront proposées prochainement. La directrice*

Vous avez lu cette annonce. Vous décidez d'écrire à la directrice de votre école. Vous lui dites ce que vous pensez de cette décision et des échanges linguistiques. (160 à 180 mots.)

Avant de commencer à écrire, demandez-vous quel sera le but de votre lettre. Ici, il serait logique de convaincre la directrice de ne pas annuler les voyages linguistiques...

[lines for writing]

Exercice 4 Vous êtes dans un collège, en France. Vous avez lu cette communication sur le panneau d'affichage :

Bientôt notre réseau social de l'école

L'école va mettre en place prochainement un réseau social exclusivement pour les élèves de l'école. Le projet a pour but de favoriser les échanges entre les élèves et de permettre aux professeurs de créer des projets ensemble.

Vous écrivez au responsable de la Vie scolaire. Vous donnez votre opinion sur ce projet et vous faites plusieurs propositions sur le fonctionnement et l'utilisation de ce nouvel outil. (160 à 180 mots.)

Si vous connaissez bien les réseaux sociaux, amusez-vous à détailler vos propositions avec des exemples ou des explications.

[lines for writing]

Exercice 5 Vous êtes dans un collège, en France. Vous avez lu cette communication, signée par le directeur, sur le panneau d'affichage :

> ### *Une cantine bio à l'école*
>
> *Notre école ouvrira l'an prochain une nouvelle cantine avec des aliments 100 % biologiques. Mais le projet ne s'arrête pas là, car nous aimerions que les élèves s'investissent dans cette initiative. Tous les mercredis, les élèves volontaires cuisineront le plat du jour avec l'aide du chef pour découvrir le plaisir de cuisiner des aliments sains et équilibrés.*

Vous écrivez au directeur. Vous dites ce que vous pensez de cette initiative et faites des propositions pour que la cantine devienne un espace de détente et de découverte culinaire. (160 à 180 mots.)

• Dans la vie quotidienne (loisirs, vie privée)

Exercice 6

> *Communication à tous les élèves de l'école de musique Django*
> *Nous donnerons un grand concert le 20 juin. Pour préparer cet événement, vous êtes priés de venir à l'école une heure supplémentaire tous les samedis après-midi.*

Vous envoyez un message au responsable. Vous dites ce que vous pensez de cette initiative et faites des propositions pour la préparation de l'événement. Vous dites également quelles seront vos difficultés. (160 à 180 mots.)

_____

Exercice 7 Le magazine français auquel vous êtes abonné lance cet appel à témoins :

Vous avez fait un séjour à l'étranger pour voyager ou pour étudier OU vous n'êtes jamais parti mais vous rêvez de faire cette expérience. Parlez-nous de vos motivations et de votre expérience et donnez votre avis sur ce type d'aventure.

Vous répondez à cet appel. (160 à 180 mots.)

Si vous n'êtes jamais allé(e) en séjour linguistique, choisissez de préférence la deuxième option, mais vous pouvez aussi vous inspirer de l'expérience de vos amis ou inventer.

_____

Production écrite

Exercice 8 Vous habitez en France. Vous lisez cette affiche dans le hall de votre immeuble, signée par le concierge :

> Le vendredi 1er juin, nous organiserons pour la première fois la « Fête des voisins » dans notre immeuble. L'objectif est de mieux se connaître entre voisins et de faire la fête ! Il y aura un apéritif avec de la musique, dans la cour de l'immeuble. Nous vous invitons tous à apporter de la nourriture et des boissons.

Vous envoyez un message au concierge. Vous dites ce que vous pensez de cette initiative et faites des propositions pour la préparation de l'événement. (160 à 180 mots.)

....
....
....
....
....
....
....
....
....
....
....

Exercice 9 Vous habitez en France. Vous lisez cette affiche dans votre quartier :

> ### LA SOUPE POPULAIRE
>
> Notre association sert des repas chauds gratuitement aux personnes en difficulté ou habitant dans la rue.
>
> Nous recherchons des jeunes volontaires pour nous aider dans cette tâche. Rejoignez-nous ! Vous découvrirezle plaisir d'offrir et de se rendre utile.

Vous voulez vous proposer comme volontaire. Vous écrivez une lettre à l'association. Vous dites ce que vous pensez de cette initiative et vous expliquez vos motivations pour rejoindre l'association. Vous mettez en avant ce que vous savez faire et les services que vous pourrez leur apporter. (160 à 180 mots.)

....
....
....

....

....

....

....

....

....

....

....

Exercice 10 Vous habitez en Bretagne. Vous lisez cette affiche dans votre quartier :

APPEL À VOLONTAIRES

Suite à la catastrophe écologique causée par le naufrage d'un pétrolier, à quelques kilomètres des côtes, nous recherchons d'urgence des volontaires pour nettoyer les plages et nous aider à sauver les espèces naturelles. Engagez-vous dans notre lutte contre ces bateaux-poubelles qui polluent nos plages et notre océan ! Il est temps d'agir pour éviter de nouvelles catastrophes !!!

Vous proposez votre participation. Vous écrivez pour dire ce que vous pensez de cette action et vous donnez des exemples de ce que vous faites déjà pour protéger la nature. (160 à 180 mots.)

....

....

....

....

....

....

....

....

Production écrite

....

....

....

....

Exercice 11 Vous habitez en France. Vous avez lu cette affiche dans votre quartier :

UNE ANTENNE DE LA BANQUE DU TEMPS OUVRE DANS VOTRE QUARTIER

Avec la Banque du temps, vous pouvez apprendre gratuitement ce qui vous intéresse et, en échange, enseigner ce que vous savez faire à une autre personne. Par exemple, vous pouvez enseigner comment cuisiner des pâtes à la bolognaise contre un cours de Karaté ! C'est un échange de services simple et gratuit, possible avec des dizaines de milliers de personnes !

Vous écrivez au directeur de la Banque du temps pour vous inscrire. Vous donnez votre opinion sur cette initiative. Vous expliquez les connaissances que vous pourriez apporter et ce que vous aimeriez recevoir en échange. (160 à 180 mots.)

....

....

....

....

....

....

....

....

....

....

....

• Dans le cadre des relations (réponse à un courrier des lecteurs)

Dans cet exercice, vous écrivez pour un journal. Vous devez répondre à un courrier qui a été déposé par un lecteur.

Exercice 12 Vous lisez ce témoignage dans la rubrique « courrier des lecteurs » de votre magazine :

Production écrite

Je voudrais choisir une filière littéraire ou linguistique au lycée mais mes parents préfèrent que je fasse des maths et des sciences, parce qu'ils disent que je trouverai plus facilement du travail. Je n'ai vraiment pas envie de suivre une filière scientifique mais je ne sais pas comment le dire à mes parents...
Que feriez-vous à ma place ?
Bénédicte

Vous répondez à Bénédicte. Vous lui parlez de votre situation. Vous dites ce que vous pensez de sa situation et vous lui donnez des conseils. (160 à 180 mots.)

Exercice 13 Vous lisez ce message dans la rubrique « courrier des lecteurs » de votre magazine *Expériences d'ados* :

Chers amis,

Je voudrais vous faire partager une expérience fantastique ! Cette année, pour la première fois, je suis parti en vacances seul avec mes amis en camping. C'était génial ! Mes parents n'étaient pas très d'accord au début mais finalement, ils ont décidé de me faire confiance et d'accepter.
Et vous, êtes-vous déjà parti avec vos amis ? Racontez-moi !

Aurélien

Si vous n'avez pas d'idées, car vous n'avez jamais voyagé, vous pouvez imaginer vos vacances. Aidez-vous pour cela des histoires et anecdotes de vos amis.

Vous décidez de répondre à ce courrier. Vous parlez de votre expérience et dites ce que vous pensez de celle d'Aurélien. (160 à 180 mots.)

_____
_____
_____
_____
_____
_____
_____
_____
_____
_____

Exercice 14 Vous lisez ce message dans le courrier des lecteurs de votre magazine *Jeunesse2000* :

> *Je suis inscrite sur Facebook depuis deux ans mais je commence à en avoir assez. La plupart de mes contacts racontent trop leur vie privée. Moi, personnellement, je préfèrerais que l'on échange de la musique ou des vidéos amusantes, des infos intéressantes sur des films, des titres de BD...*
> *Adèle*

Vous décidez de répondre à ce courrier. Vous parlez de votre expérience - ou non expérience - concernant les réseaux sociaux et vous donnez votre avis sur ce qu'a écrit Adèle et sur ce mode de communication entre « amis ». (160 à 180 mots.)

_____
_____
_____
_____
_____
_____

....

....

....

....

....

Exercice 15 Vous lisez ce témoignage dans la rubrique « courrier des lecteurs » de votre magazine *Psycho d'Ados* :

Je n'en peux plus ! Mon petit frère de 12 ans me suit partout... je n'ai pas une seconde à moi. Même à l'école, il reste à côté de moi en permanence et quand je sors avec des amis, il veut toujours venir. J'aimerais bien avoir des moments sans lui, mais il n'a aucun ami de son âge et mes parents insistent pour que je m'occupe de lui ! Je ne sais plus quoi faire...
Béatrice

Vous répondez à Béatrice. Vous dites ce que vous pensez de sa situation et vous lui donnez des conseils. Vous parlez de votre propre expérience ou de celle d'un ami. (160 à 180 mots.)

> Faites plusieurs propositions de solutions avec des formulations du type : *Si ça ne fonctionne pas, tu peux essayer de...*

....

....

....

....

....

....

....

....

....

....

....

....

Production écrite

Exercice 16 Vous lisez ce message dans le courrier des lecteurs de votre magazine :

> *Ma meilleure amie, Juliette, est déprimée parce qu'elle a été refusée par un groupe d'amis sur Facebook. Depuis, elle s'est complètement refermée sur elle-même, elle ne parle plus à personne et elle ne veut même plus me voir (alors que je suis sa meilleure amie !). J'ai l'impression qu'elle m'en veut ou bien qu'elle est jalouse car j'ai plus d'amis qu'elle sur Facebook.*
> *Amélie*

Vous décidez de répondre à ce courrier. Vous donnez votre opinion concernant les « amis » sur *Facebook* et les amis dans la vraie vie. Vous donnez des conseils à Amélie pour se réconcilier avec son amie. (160 à 180 mots.)

....

....

....

....

....

....

....

....

....

....

....

....

....

....

Exercice 17 Vous lisez ce message dans le courrier des lecteurs de votre magazine :

> *J'ai 16 ans et j'aimerais devenir skateur professionnel mais mes parents ne sont pas d'accord. À New York, il existe une école qui prépare aux plus grandes compétitions. J'ai envoyé une candidature avec une vidéo et j'ai été accepté. Moi, j'ai vraiment envie de partir ! Qu'est-ce que vous me conseillez de faire ?*
> *Nicolas*

Vous répondez à Nicolas. Vous dites ce que vous pensez de sa situation et vous lui donnez des conseils. Vous parlez également de votre passion, si vous en avez une, et vous dites si vous pensez vivre de votre passion un jour (160 à 180 mots.)

Si vous n'avez pas une " grande passion ", parlez d'une activité que vous aimez particulièrement.

....

....

Production écrite

....

....

....

....

....

....

....

....

....

....

....

Exercice 18 Vous lisez ce témoignage dans la rubrique « courrier des lecteurs » de votre magazine :

> J'adore ma grand-mère ! Elle est très âgée et elle a vécu beaucoup de choses dans sa vie. J'aimerais garder tous ses souvenirs... J'ai acheté un dictaphone numérique pour l'enregistrer mais je ne sais pas comment m'y prendre. Quelles questions poser ? Comment la mettre en confiance ?... Est-ce que quelqu'un peut m'aider ? Merci !
>
> Aurore

Vous répondez à Aurore. Vous dites ce que vous pensez de son projet et vous lui donnez des conseils. Pour lui donner des idées, vous parlez de votre propre grand-mère et de la relation que vous avez avec elle. (160 à 180 mots.)

....

....

....

....

....

....

....

....

Production écrite

....

....

....

....

II **Participer à un débat**

Dans cet exercice, vous devez donner votre opinion sur un thème en vous basant sur votre expérience.

• Sur la vie privée (comportement, relations)

Exercice 19

Question de la semaine dans le blog Okapi :

Est-ce important pour toi de te faire des copains pendant les vacances ? Quelles sont les différences avec les autres amis ?

Vous répondez à cette question. Vous racontez votre expérience et vous donnez votre opinion. (160 à 180 mots.)

Pour faire une comparaison, décrivez comment sont vos amis du quotidien et quelles relations vous avez avec eux.

....

....

....

....

....

....

....

....

....

....

Production écrite

Exercice 20

FORUM ADOS QUESTIONS AUX JEUNES

À quel âge pensez-vous que l'on devient un adolescent ? Quels sont les signes qui montrent que l'on a quitté l'enfance pour entrer dans le monde des adolescents ? Quelle est, d'après vous, la plus belle période de la vie : l'enfance, l'adolescence ou l'âge adulte ?

Vous décidez de répondre à ces questions. Vous écrivez dans ce forum, vous racontez votre expérience et vous donnez votre avis. (160 à 180 mots.)

Exercice 21

PSYCHO FORUM

S'il existait les parents parfaits comment seraient-ils ?

Vous répondez à cette question. Vous racontez votre expérience avec vos parents ou ceux de vos amis et vous dites ce que vous pensez de leur manière de vous éduquer. (160 à 180 mots.)

Production écrite

....

....

....

....

....

....

Exercice 22

Le journal de la Famille

Répondez à notre question du mois :
Frères et sœurs. Amis ou ennemis ?

Vous répondez à cette question. Vous racontez votre expérience ou l'expérience d'un ami et vous donnez votre opinion. (160 à 180 mots.)

> Pour ce type de question, évitez les opinions trop fermées. Il faut modérer un minimum votre réponse en montrant des points positifs et négatifs dans la relation entre frères et sœurs.

....

....

....

....

....

....

....

....

....

....

....

....

....

Exercice 23

FORUM ADOS

L'adolescence est-elle toujours une crise ? Peut-on se sentir bien dans sa peau et dans son corps pendant cette période ?

Vous répondez à cette question. Vous racontez votre expérience et vous donnez votre opinion. (160 à 180 mots.)

Exercice 24

Être enfant unique influence-t-il la personnalité ?

Vous répondez à cette question. Vous racontez votre expérience et vous donnez votre opinion. (160 à 180 mots.)

Production écrite

• Sur l'école, l'environnement scolaire

Exercice 25

> ### Appel à témoins sur le site geoado.fr
>
> *Si, à l'école, on te proposait de rester en classe un peu plus longtemps, mais de ne pas avoir de devoirs à la maison, serais-tu d'accord ? Ou bien préfèrerais-tu quitter l'école plus tôt dans l'après-midi et faire des devoirs le soir ?*
> *À toi de faire ton choix !*

Vous décidez de répondre à cet appel. Vous dites comment vous vous organisez pour vos devoirs et donnez votre avis sur cette proposition. (160 à 180 mots.)

....
....
....
....
....
....
....
....
....
....
....
....

Exercice 26   Vous lisez cet extrait d'article :

> *Dans un quartier défavorisé, pour lutter contre l'absentéisme, les dirigeants d'une école donnent de l'argent aux élèves. Cet argent est mis sur un compte et est débloqué si l'élève vient effectivement en cours... La situation semble s'améliorer : le nombre d'élèves présents en cours a augmenté de 5 %.*

Comment cela se passe-t-il dans votre école ? Que pensez-vous de cette mesure ? Trouvez-vous qu'il est normal de payer les élèves qui viennent en cours ? (160 à 180 mots.)

....
....

Exercice 27

Que faire pour avoir des meilleures notes à l'école ?

Vous répondez à cette question. Vous racontez votre expérience et vous donnez votre opinion. (160 à 180 mots.)

Production écrite

Exercice 28

La question du jour dans le Journal des ados

Les punitions à l'école sont-elles nécessaires ?

Vous répondez à cette question dans le courrier des lecteurs du *Journal des ados*. Vous racontez votre expérience et vous donnez votre opinion. (160 à 180 mots.)

....
....
....
....
....
....
....
....
....
....
....
....

Exercice 29 Vous lisez cet extrait d'article dans le magazine *Éducation* :

> *À l'École Nouvelle, les élèves tutoient leurs professeurs, sont libres de choisir les cours qui les intéressent et réalisent de nombreux projets en classe. Les enfants participent à l'élaboration des repas et sont toujours présents aux réunions des adultes pour parler de la vie à l'école et faire des propositions.*

Vous décidez de réagir à cet article dans le courrier des lecteurs du magazine. Vous expliquez comment fonctionne votre école et vous dites si vous aimeriez avoir autant de liberté. Vous dites quels sont d'après vous les points positifs et négatifs de ce système. (160 à 180 mots.)

....
....
....
....

....
....
....
....
....
....
....
....
....

Exercice 30

Écrivez votre opinion sur www.a-mon.avis.com

D'après vous, qu'est-ce qu'un bon professeur ?
Comment transmettre le plaisir d'apprendre ?

Vous répondez à ces deux questions. Vous racontez votre expérience et vous donnez votre opinion. (160 à 180 mots.)

Attention, certaines questions sont doubles. Vous devez répondre à toutes les questions du document.

....
....
....
....
....
....
....
....
....
....
....

Production écrite

Exercice 31

Partagez vos opinions sur le magazine La rentrée

En France, les élèves choisissent leur orientation professionnelle dès l'âge de 15 ans. Comment être sûr de faire le bon choix ?

Vous répondez à cette question. Vous racontez votre expérience et vous donnez votre opinion. (160 à 180 mots.)

Exercice 32

Vous répondez à cette question. Vous racontez votre expérience et vous donnez votre opinion. Vous présentez les points positifs et négatifs de l'internat. (160 à 180 mots.)

* Internat : établissement scolaire où certains élèves résident pendant la semaine.

_____
_____
_____
_____
_____
_____

• Sur la société, l'actualité

> Certains sujets concernent des thèmes de société ou d'actualité. Pour vous y préparer, habituez-vous, dès maintenant, à parler en français sur ce genre de thématique avec vos amis et votre professeur.

Exercice 33

Pour ou contre les marques ?

Les marques sont-elles indispensables à ton look ? Pourquoi ?
Si tu ne portes pas du tout de marques à la mode, le regrettes-tu ? As-tu déjà eu l'occasion d'en souffrir ou bien est-ce que ça t'est totalement égal ? Enfin, si tu considères que les marques sont totalement inutiles, explique-nous pourquoi elles semblent fasciner autant.

Vous répondez à cet appel à témoins sur un forum français. Dites à quel profil vous correspondez. Donnez votre opinion sur les marques en général. (160 à 180 mots.)

_____
_____
_____
_____
_____
_____
_____
_____
_____
_____

Production écrite

Exercice 34

> *Êtes-vous pour ou contre les réseaux sociaux comme Facebook ?*
> *Explique-nous pourquoi !*

Vous lisez cet appel à témoins dans un journal français. Vous décidez d'écrire pour répondre à ces questions. Vous dites si vous êtes inscrit ou non et pourquoi. (160 à 180 mots.)

Exercice 35

> ### La politesse
> *Comment réagir quand on voit quelqu'un jeter un papier par terre, taguer un mur, parler à haute voix au cinéma, voler dans un magasin ou passer devant les autres dans une file d'attente ?*

Vous lisez cet appel à témoins dans un journal français. Vous répondez à ces questions. Vous racontez votre expérience et dites ce que vous jugez malpoli. Faut-il réagir ou intervenir dans ce type de situation ? (160 à 180 mots.)

....
....
....
....
....
....
....
....

Exercice 36

À cause de la chaleur prévue cet été, le gouvernement pense interdire l'usage de l'eau pour les piscines, l'arrosage des jardins et le lavage des voitures. Penses-tu que ces interdictions sont vraiment utiles pour économiser l'eau ? Ou bien crois-tu qu'elles sont vraiment exagérées et qu'il y a assez d'eau pour tout le monde ?

Vous lisez cet appel à témoins dans un journal français pour ados. Vous décidez de répondre. Vous parlez de votre expérience dans votre pays et vous donnez votre opinion. (160 à 180 mots.)

....
....
....
....
....
....
....
....
....
....

Production écrite

Exercice 37 Vous avez lu cette communication dans un forum en français :

> *60 % des Français consomment de la viande 4 fois par semaine. Pour nourrir les animaux que les Français mangent, on cultive du soja et on coupe des hectares de forêts. Qu'en pensez-vous ? Faut-il manger moins de viande ou trouver d'autres solutions pour nourrir les animaux ?*

Vous apportez votre contribution sur ce forum. Vous dites quelles sont vos habitudes alimentaires et répondez à cette question en donnant votre avis. (160 à 180 mots.)

Exercice 38

> *La Nasa a dépensé récemment plusieurs millions de dollars pour découvrir si la vie a existé sur Mars. Pensez-vous que ces dépenses soient utiles ou importantes ? D'après vous, faut-il continuer à explorer l'Univers ou y a-t-il d'autres priorités sur Terre ?*

Vous lisez cet appel à témoins dans un magazine scientifique pour ados. Vous décidez de répondre. Vous donnez votre opinion illustrée d'exemples. (160 à 180 mots.)

....

....

....

....

....

....

....

....

Exercice 39

On a longtemps cru que les animaux n'étaient pas intelligents. Pourtant, les grands singes, les dauphins, les éléphants et certains oiseaux peuvent se reconnaître dans un miroir, les chimpanzés fabriquent des outils, les perroquets peuvent tenir une conversation structurée et communiquer avec plus de 800 mots... Alors, à votre avis, peut-on parler d'intelligence animale ?

Vous lisez cet appel à témoins dans un magazine scientifique français. Vous décidez de répondre. Vous donnez votre opinion sur le sujet en vous basant sur les animaux que vous connaissez. (160 à 180 mots.)

....

....

....

....

....

....

....

....

....

....

Production écrite

////////// **III** | **Écrire un article ou un rapport** (avec propositions et demandes)

> Dans cet exercice, vous devez écrire un petit article pour réagir à une situation donnée. Vous devez donner votre opinion mais également faire des propositions ou formuler des demandes.

Exercice 40 Vous habitez en Belgique. Vous avez lu le programme d'activités gratuites pour les ados que propose la mairie de votre ville. Il propose essentiellement des cours de rattrapage scolaire.

Au nom des jeunes de votre ville, vous écrivez un article dans la rubrique *Parole aux citoyens* du site de la mairie, dans lequel vous dites ce que vous pensez de ce qu'ils offrent et ce qu'attendent les jeunes (activités sportives, artistiques). Vous formulez des demandes et faites des propositions. (160 à 180 mots.)

Exercice 41 Comme chaque année, la Maison des Jeunes de votre ville propose un projet sur le cinéma. Vous pensez qu'il y a des thèmes plus importants et des messages à faire passer aux jeunes, à travers d'autres projets.

Vous publiez un article dans le blog de la Maison des Jeunes dans lequel vous dites ce que vous pensez du projet cinéma et vous faites des propositions. (160 à 180 mots.)

....

....

....

....

....

....

....

....

Exercice 42 Vous étudiez en France. Vous êtes abonné à la bibliothèque de votre quartier. Vous y allez très souvent. Vous écrivez dans la rubrique *Parole aux abonnés* du site de la bibliothèque. Vous dites pourquoi vous fréquentez autant la bibliothèque et vous donnez une appréciation sur les services rendus par la bibliothèque et sur ce qui pourrait être amélioré. (160 à 180 mots.)

> Vous devez respecter la consigne même si votre opinion personnelle est différente. Par exemple, ici, vous allez très souvent à la bibliothèque, même si normalement vous n'y allez pas souvent.

....

....

....

....

....

....

....

....

....

....

....

Exercice 43 La mairie de votre ville, en France, a pour objectif de fermer la piscine municipale. Au nom des jeunes de la ville, vous écrivez au maire. Vous lui dites ce que pensent les jeunes de cette décision et lui expliquez pourquoi. Vous dites les conséquences qu'aurait une telle initiative pendant la période d'été. (160 à 180 mots.)

Exercice 44 Vous habitez en Belgique. Vous trouvez que le phénomène des jeux de hasard gratuits en ligne prend de l'importance chez les plus jeunes et cela vous inquiète. Vous écrivez un article pour le journal de votre école dans lequel vous donnez votre opinion sur ces jeux et vous racontez votre expérience (ou l'expérience de certains de vos amis). (160 à 180 mots.)

....

....

....

....

....

....

....

Exercice 45 Vous avez visité le zoo de votre ville et vous avez été choqué par les conditions de vie des animaux. Les cages sont minuscules, les félins sont exposés en plein soleil, il y a beaucoup d'animaux dans chaque espace de vie et vous avez trouvé les cages particulièrement sales.

Vous écrivez un article dans le blog *Les citoyens ont la parole* de votre mairie pour dénoncer les conditions de vie des animaux dans le zoo. Vous expliquez ce qui vous a déplu et vous faites des propositions pour améliorer cette situation. (160 à 180 mots.)

....

....

....

....

....

....

....

....

....

....

....

Épreuve blanche de production écrite

Vous êtes dans une école, en Belgique. Vous lisez cette communication sur le panneau d'affichage :

APPEL À IDÉES

Pour les activités de l'Association des parents d'élèves...

Nous aimerions proposer de nouvelles activités extrascolaires pour l'année prochaine. Nous lançons donc cette enquête pour mieux connaître les goûts des élèves. Merci de nous transmettre vos envies et opinions.

Vous répondez à cette enquête. Vous dites quels types d'activités vous aimeriez pratiquer et vous expliquez pourquoi. Vous donnez également votre opinion sur cette initiative. (160 à 180 mots.)

Production **orale**

L'épreuve de production orale

Conseils pratiques

La production orale, qu'est-ce que c'est ?
La production orale est l'épreuve individuelle du DELF. Elle se déroule en 3 parties :
- partie 1 : entretien dirigé ;
- partie 2 : exercice en interaction (ou jeu de rôle) ;
- partie 3 : expression d'un point de vue à partir d'un document.

Vous êtes seul(e) face aux examinateurs et vous devez parler en français pendant quelques minutes.

Combien de temps dure la production orale ?
Vous avez 10 minutes pour préparer la 3ème partie. L'entretien dirigé et l'exercice en interaction ne sont pas à préparer. Après les 10 minutes de préparation, vous passez devant le jury. Votre oral doit durer 15 minutes au total :
- entretien dirigé : environ 2-3 minutes ;
- exercice en interaction : environ 3-4 minutes ;
- expression d'un point de vue : environ 5-7 minutes.

Comment dois-je répondre ?
Pour l'entretien dirigé : L'examinateur va vous demander de vous présenter. Vous devez alors donner des informations sur vous, sur votre famille, vos activités, sur vos projets, etc. Ensuite, l'examinateur va vous poser des questions sur vos loisirs, vos vacances, vos études, etc.

Qu'est-ce que je dois faire ?

1. Saluer le surveillant.
2. Tirer au sort les sujets pour les parties 2 et 3 et en **choisir un** pour chaque partie.
3. **Préparer la partie 3** sur une feuille de brouillon pendant 10 minutes.
4. S'asseoir devant le jury et le **saluer**.
5. Se présenter puis **répondre aux questions** de l'examinateur pour la partie entretien dirigé.
6. **Jouer le jeu de rôle** avec l'examinateur dans la partie exercice en interaction.
7. **Parler seul(e)** sur le sujet choisi pour la partie expression d'un point de vue.
8. Répondre aux questions de l'examinateur et **réagir** à ses interventions.
9. **Remercier** et **saluer** le jury.
10. Quitter la salle d'examen.

Pour l'exercice en interaction : Vous tirez au sort deux sujets et vous en choisissez un. Vous jouez la situation indiquée sur le sujet avec l'examinateur. Il s'agit souvent d'une situation plutôt inhabituelle ou à difficulté. Exemple de sujet : *Vous demandez à un ami de vous prêter son vélo pour aller à l'école. Il refuse. Vous insistez car sans son vélo, vous ne pourrez pas vous rendre à l'école. L'examinateur joue le rôle de l'ami.*

Pour l'expression d'un point de vue : Vous devez tirer au sort deux sujets (extrait d'article de journal) et vous en choisissez un. Vous devez présenter le **sujet** de discussion du document et exprimer votre opinion pendant 3 minutes environ. L'examinateur pourra ensuite vous poser des questions pour vous demander d'expliquer certains points. Exemple de sujet : le texte traite du *sommeil chez les adolescents.*
Vous pouvez utiliser votre brouillon.

Combien y a-t-il d'exercices ?
Il y a 3 exercices.

Exercices	Types d'exercice	Questions		Nombre de points
Exercice 1	Entretien dirigé	Après avoir salué l'examinateur, vous vous présentez (vous parlez de vous, de votre famille, de vos amis, de vos études, de vos goûts, de vos projets, etc.). L'examinateur vous posera des questions complémentaires.	3 points	Niveau de langue (vocabulaire, lexique, prononciation) pour l'ensemble des 3 parties :
Exercice 2	Exercice en interaction	Vous tirez au sort deux sujets. Vous devez, sans préparation, jouer le rôle et la situation indiqués sur le sujet choisi. Vous devez réagir aux interventions de votre interlocuteur (l'examinateur joue lui aussi un rôle prédéfini par le sujet).	5 points	
Exercice 3	Expression d'un point de vue	Vous tirez au sort deux sujets et vous en choisissez un. Vous devez dégager le thème soulevé par le document puis exprimer votre opinion sur ce thème. Votre exposé sera suivi d'un entretien d'approfondissement avec l'examinateur.	5 points	12 points

Conseils du coach

1. ● Vous passez l'oral du DELF, un examen du ministère français de l'Éducation nationale. Vous devez donc **porter des vêtements corrects** et **bien vous tenir** devant le jury d'examen.
2. ● Souriez, soyez **poli**, montrez-vous **coopératif** avec le jury.
3. ● Parlez **lentement** et **clairement** de manière à bien être compris.
4. ● Si vous ne comprenez pas ce que vous dit l'examinateur, demandez-lui de **répéter**.
5. ● Lorsque vous tirez au sort les sujets pour les parties 2 et 3, choisissez le sujet qui vous paraît **le plus simple**, que **vous comprenez**, et pour lequel vous avez des choses à dire (ne choisissez pas un sujet sur les nouvelles technologies si vous avez peu de connaissances sur ce thème !).
6. ● Répartissez bien votre temps de préparation pour la 3ème partie : prenez **5 minutes pour préparer l'exposition du thème** et **5 minutes pour préparer la présentation de votre opinion**.
7. ● Sur votre brouillon, **n'écrivez pas de phrases entières** mais plutôt des mots qui vont vous aider à vous souvenir de vos idées. Cela vous évitera de lire et vous permettra de **parler avec naturel**.
8. ● Pour l'exercice en interaction, essayez **d'anticiper les réactions** de votre interlocuteur. Soyez **vif et expressif** comme un acteur. Vous devez montrer que vous savez communiquer.
9. ● Pour l'expression d'un point de vue, ne faites pas un résumé du texte, **veillez à bien présenter le thème**.

Grille d'évaluation de la production orale commentée

L'épreuve de production orale est notée à l'aide d'une grille. Cette grille de notation est divisée en plusieurs parties qui permettent au correcteur :

- ● de vérifier que le candidat a effectué de manière appropriée l'ensemble des tâches qui composent l'épreuve ;
- ● d'évaluer le niveau linguistique en français du candidat.

Partie 1

Entretien dirigé

Peut parler de soi avec une certaine assurance en donnant informations, raisons et explications relatives à ses centres d'intérêt, projets et actions. **Ce critère vérifie que vous êtes capable de vous présenter, de donner des informations sur vous-même et de les justifier.**	0	0.5	1	1.5	2			

Peut aborder sans préparation un échange sur un sujet familier avec une certaine assurance. **Ce critère vérifie que vous comprenez ce que vous demande l'examinateur et que vous êtes capable d'interagir avec lui avec facilité et de répondre à ses questions.**	0	0.5	1					

Production orale

Exercice en interaction - gérer une situation imprévue

Peut faire face sans préparation à des situations même un peu inhabituelles de la vie courante (respect de la situation et des codes sociolinguistiques). **Ce critère vérifie que vous êtes capable d'interagir dans la plupart des situations quotidiennes tout en vous adaptant au contexte (formel, informel...).**	0	0.5	1							

Peut adapter les actes de parole à la situation. **Ce critère vérifie que vous savez choisir les expressions justes selon ce que vous devez transmettre (insister, interroger, affirmer, proposer, accepter...).**	0	0.5	1	1.5	2					

Peut répondre aux sollicitations de l'interlocuteur (vérifier et confirmer des informations, commenter le point de vue d'autrui, etc.) **Ce critère vérifie que vous pouvez réagir de manière adaptée aux interventions de l'examinateur (répondre, refuser, convaincre...).**	0	0.5	1	1.5	2					

Partie 3

Expression d'un point de vue

Présenter d'une manière simple et directe le sujet à développer. **Ce critère vérifie que vous êtes capable de restituer les idées principales du texte sans répéter des phrases entières.**	0	0.5	1							

Peut présenter et expliquer avec assez de précision les points principaux d'une réflexion personnelle. **Ce critère vérifie que vous savez exprimer votre opinion clairement et justifier.**	0	0.5	1	1.5	2	2.5				

| Peut relier une série d'éléments en un discours assez clair pour être suivi sans difficulté la plupart du temps. **Ce critère vérifie que vous savez utiliser des connecteurs pour relier les phrases et vos idées et que votre discours est cohérent.** | 0 | 0.5 | 1 | 1.5 | | | | | |

Pour l'ensemble des 3 parties de l'épreuve

Lexique (étendue et maîtrise)

| Possède un vocabulaire suffisant pour s'exprimer sur des sujets courants, si nécessaire à l'aide de périphrases ; des erreurs sérieuses se produisent encore quand il s'agit d'exprimer une pensée plus complexe. **Le vocabulaire est relativement varié. Il est adapté à la situation (lexique des études, des activités et loisirs, du sport, etc.) et utilisé dans le bon contexte.** | 0 | 0.5 | 1 | 1.5 | 2 | 2.5 | 3 | 3.5 | 4 |

Morphosyntaxe

| Maîtrise bien la structure de la phrase simple et les phrases complexes les plus courantes. Fait preuve d'un bon contrôle malgré de nettes influences de la langue maternelle. **Les phrases doivent être formulées et organisées correctement et les règles de grammaire élémentaires doivent être respectées (formes du passé, futur, conditionnel, la comparaison, l'expression de l'opposition, de la concession, etc.).** | 0 | 0.5 | 1 | 1.5 | 2 | 2.5 | 3 | 3.5 | 4 | 4.5 | 5 |

Maîtrise du système phonologique

| Peut s'exprimer sans aide malgré quelques problèmes de formulation et des pauses occasionnelles. La prononciation est claire et intelligible malgré des erreurs ponctuelles. **Les mots et les phrases sont prononcés correctement, l'expression est naturelle.** | 0 | 0.5 | 1 | 1.5 | 2 | 2.5 | 3 |

Entretien dirigé

L'entretien dirigé est la première partie de l'épreuve orale.

I   Ce qu'il faut faire

- Quand vous entrez dans la salle, vous saluez l'examinateur et vous vous asseyez. Soyez détendu et souriant ;
- l'examinateur vous pose quelques questions sur vous et sur votre environnement familier. Vous parlez de vous, de votre famille, de vos activités, de vos projets, etc. Essayez de parler au présent (activités), au passé (souvenirs) et au futur (projets) ;
- l'examinateur peut vous poser quelques questions complémentaires.

> Entraînez-vous régulièrement à parler de vous, devant la glace, avec vos parents, vos amis... En classe ou à la maison, enregistrez-vous ! Cela vous aide à connaître vos points faibles et vos points forts.

Bonjour madame, je m'appelle Hugo.

Bonjour Hugo. Nous allons commencer l'examen. Parlez-moi de votre école. Vous êtes en quelle classe ?

Je suis en 4e, j'ai 15 ans. J'aime bien mon école parce que je vois mes amis tous les jours. J'ai toujours été dans cette école alors je les connais depuis... 5 ans au moins. Dans deux ans, j'irai au lycée à Rome. J'espère qu'on sera toujours dans la même classe !

Et comment se passent les cours ?

Les cours sont intéressants. J'ai de bonnes notes en anglais et en histoire, par contre je ne suis pas très fort en maths. J'adore le cours de dessin. Le professeur, monsieur Giovanni, est super ! À la fin de l'année on va faire une exposition dans une galerie d'art !

Vous aimeriez être dessinateur plus tard ?

Oui, j'aimerais bien mais... mes parents ne sont pas d'accord. Ils veulent que j'étudie le droit pour être avocat ou juge... Je ne sais pas, peut-être que je dessinerai juste pour le plaisir. C'est difficile de vivre de son art...

Production orale

a. Pouvez-vous me parler de vos activités ? Avez-vous une passion ?

b. Est-ce que vous aimez votre ville ? Pourquoi ?

c. Avez-vous des frères et sœurs ? Quel âge ont-ils ? Avez-vous une personnalité très différente ?

d. Quel sport faites-vous ?

e. Comment sont vos amis ? Décrivez votre meilleur(e) ami(e).

f. Quelle est votre matière préférée à l'école ? Pourquoi ?

g. Qu'avez-vous fait pendant les dernières vacances ?

h. Que ferez-vous pour les prochaines vacances ?

i. Quelles études, quel métier pensez-vous faire plus tard ?

III **Exercice**

Remplissez le tableau suivant. Ensuite, entraînez-vous à faire des phrases à l'oral à partir des réponses que vous avez écrites. Cela va vous aider à répondre aux questions de l'examinateur pendant l'entretien dirigé.

Votre nom :	....
Votre âge :	....
La ville où vous habitez :	....
Votre logement (maison / appartement) :	....
Votre classe :	....
Nombre de frère(s) et sœur(s) :	....
Prénom de vos frère(s) et sœur(s) :	....
Âge de vos frère(s) et sœur(s) :	....
Profession de votre père :	....
Profession de votre mère :	....
Le sport que vous faites :	....
2 activités que vous faites régulièrement :	....
Votre musique préférée :	....
Votre matière préférée à l'école :	....
Nom de votre meilleur ami :	....
Lieu de vos dernières vacances :	....
2 activités que vous avez faites pendant les vacances :	....

Partie 2

Exercice en interaction - gérer une situation imprévue

I Dans un lieu public

Exercice 1

Vous êtes devant un cinéma avec un ami français, mais vous êtes arrivé trop tard pour voir le film que vous aviez choisi. Vous discutez avec votre ami pour décider de ce que vous allez faire à la place.

L'examinateur joue le rôle de votre ami français.

Vous proposez d'autres activités et essayez de convaincre votre interlocuteur. Dites ce que vous pensez de ses propositions.

Exercice 2

Vous êtes invité à un anniversaire, en France. Vous achetez un CD audio pour votre ami, mais vous découvrez qu'il a déjà ce CD chez lui. Vous retournez au magasin pour échanger le CD. Vous demandez conseil au vendeur.

L'examinateur joue le rôle du vendeur.

Pour vous aider, imaginez que vous voulez acheter un CD pour un ami que vous connaissez bien et pensez à ses goûts musicaux.

Exercice 3

Vous êtes en France. Vous jouez au football avec des amis. Le ballon est entré dans la cour intérieure d'un immeuble en travaux. Vous demandez au gardien l'autorisation d'entrer pour récupérer votre ballon. Il refuse car les jeux de ballon sont interdits dans cet endroit.

L'examinateur joue le rôle du gardien.

Rappelez-vous qu'en France vous utilisez le « vous » pour les personnes que vous ne connaissez pas. Formulez toujours votre demande poliment.

Exercice 4

Vous êtes dans un train, à Nice, avec un ami français. Suite à un problème technique, le train ne peut plus repartir. Vous discutez avec votre ami sur la meilleure façon de revenir à la maison (bus, taxi, voiture, etc.).

L'examinateur joue le rôle de votre ami français.

Exercice 5

Vous êtes dans une cafétéria, en France. En allant vous asseoir, votre repas tombe par terre. Vous demandez un autre plat au serveur. Vous essayez de le convaincre de ne pas vous faire payer ce nouveau plat.

L'examinateur joue le rôle du serveur.

II À l'école

Exercice 6

Vous arrivez en retard au cours de français. Votre professeur vous demande des explications. Il est en colère car ce n'est pas la première fois que ça vous arrive. Cette fois, vous avez été retardé par une histoire incroyable mais vraie (par exemple, une invasion de guêpes dans votre maison, un accident ménager, etc.). Essayez de convaincre votre professeur que vous dites la vérité.

Ici, vous pouvez jouer avec des gestes et des intonations pour avoir l'air plus convaincant.

L'examinateur joue le rôle du professeur.

Production orale

Exercice 7

Vous êtes en France pour un échange scolaire. Vous avez été choisi par votre classe pour présenter le spectacle de fin d'année. Mais, quelques jours avant, vous apprenez que votre famille vient vous rendre visite. Vous essayez de convaincre un autre élève de votre classe de présenter le spectacle à votre place.

L'examinateur joue le rôle de votre camarade de classe.

> Rappelez-vous de toutes les formules de politesse pour demander quelque chose à quelqu'un. Imaginez deux ou trois moyens différents de le convaincre.

Exercice 8

À la fin d'un examen de français, le professeur vous accuse d'avoir copié sur votre voisin car vous avez des réponses presque identiques. Vous essayez de le convaincre que vous n'avez pas triché.

L'examinateur joue le rôle du professeur.

Exercice 9

Vous voulez participer à un atelier théâtre pendant la pause-déjeuner. Vous essayez de convaincre un ami français de s'inscrire avec vous mais il a peur de jouer face à un public.

L'examinateur joue le rôle de votre ami français.

Exercice 10

À la fin d'un séjour linguistique en France, vous discutez avec votre professeur du meilleur choix pour continuer votre apprentissage du français : séjour linguistique intensif, préparation d'un diplôme, ateliers en français, études en France, etc.

L'examinateur joue le rôle du professeur.

> Mettez-vous bien dans la peau du personnage. Que feriez-vous vraiment dans cette situation ? Pensez aux aspects négatifs et aux points positifs de chaque proposition, cela vous aidera dans la discussion et dans les choix.

III À la maison

Exercice 11

Vous voulez organiser une fête surprise pour l'anniversaire d'une amie. Vous discutez de l'organisation de cette fête avec un ami commun français. Vous n'êtes pas d'accord sur le lieu et sur les personnes à inviter.

L'examinateur joue le rôle de votre ami français.

> Vous pouvez ne pas avoir envie d'inviter quelqu'un, mais ne manquez jamais de respect envers un personnage, même imaginaire. Évitez également les critiques fortes.

Exercice 12

Un ami français a gagné un voyage pour deux personnes au Canada. Vous aimeriez qu'il vous invite. Vous essayez de le convaincre de partir avec lui.

L'examinateur joue le rôle de votre ami français.

Exercice 13

Vous avez cassé un objet de grande valeur dans la maison de votre famille d'accueil. Les parents ne sont pas encore rentrés à la maison. Vous parlez avec votre correspondant français de la meilleure façon d'agir.

L'examinateur joue le rôle de votre correspondant français.

Exercice 14

Vous êtes seul dans l'appartement de votre famille d'accueil. Il y a une inondation importante dans l'appartement. Vous appelez le voisin pour demander de l'aide. Vous cherchez ensemble une solution pour arrêter la fuite*.

* Fuite : écoulement d'eau.

L'examinateur joue le rôle du voisin.

Exercice en interaction - gérer une situation imprévue

Exercice 15

Un ami français va fêter son anniversaire dans une heure. Vous avez préparé un gâteau pour son anniversaire mais il est resté trop longtemps dans le four et il a brûlé. Vous cherchez une solution de secours avec la famille de votre ami : aller au restaurant, faire un nouveau gâteau, acheter un gâteau à la pâtisserie, etc.

L'examinateur joue le rôle du père ou de la mère.

IV En vacances

Exercice 16

Vous faites une randonnée pendant vos vacances en France. Un ami s'est perdu. Vous vous organisez avec vos amis français pour le retrouver.

Faites plusieurs propositions. Vous devez montrer que vous savez vous exprimer et faire des choix dans des situations difficiles.

L'examinateur joue le rôle d'un ami français.

Exercice 17

Vous êtes en voyage avec votre ami français. Vous voulez faire une photo mais il n'y a plus de mémoire sur votre appareil. Avec votre ami, vous choisissez les photos que vous allez effacer.

L'examinateur joue le rôle de votre ami français.

Exercice 18

Vous êtes en vacances, en France. Vous êtes monté dans un train sans valider votre billet car vous n'avez pas eu le temps. Vous essayez de convaincre le contrôleur de ne pas vous mettre une amende. Vous lui expliquez pourquoi vous n'avez pas eu le temps de valider votre billet.

L'examinateur joue le rôle du contrôleur.

Exercice 19

Vous êtes parti en vacances avec votre famille d'accueil. Les parents sont toujours avec vous et vous aimeriez être un peu plus avec des jeunes de votre âge. Vous leur demandez d'organiser différemment la semaine pour être libre pendant les après-midis.

L'examinateur joue le rôle du père ou de la mère.

Partie 3

Dans cet exercice, il faut bien identifier le sujet du texte pour savoir le présenter puis donner votre opinion. Prenez plaisir à parler en français ! Parlez lentement et clairement.

Expression d'un point de vue

I Sur la vie privée (comportements, relations)

Exercice 20 *Lisez le texte ou l'article puis présentez l'idée principale et donnez votre opinion.*

Problèmes scolaires, abandon du sport et de la vie familiale sont autant de symptômes caractéristiques d'un joueur pathologique.

Enfermé dans sa chambre, votre enfant est devant son ordinateur, les yeux sur son écran, hermétique à toutes remarques* ou demandes car son attention est retenue par son jeu vidéo et par les autres jeunes qui « en ligne » évoluent dans le même monde virtuel que lui... Est-ce grave docteur ?

Les nouvelles addictions : tel était le thème de la séance hebdomadaire de l'Académie de médecine qui s'est tenue mardi avec, notamment, la question de l'addiction des jeunes aux jeux vidéo. Or sur ce thème, Marie-France le Heuzey,

> Lorsque vous rencontrez un astérisque *, cela signifie que le mot est expliqué en bas de page, après l'article. Lisez la définition, cela peut vous aider à mieux comprendre.

pédopsychiatre à l'hôpital Robert-Debré à Paris, se veut à la fois vigilante et rassurante. Vigilante, car il existe effectivement des cas de jeunes qui se font happer* par le jeu. Une étude menée à Singapour, auprès de 3 034 enfants d'école élémentaire et secondaire, a montré que 83 % d'entre eux jouaient occasionnellement (la moyenne est de 19 heures par semaine) tandis que 9,9 % étaient considérés comme des joueurs pathologiques avec une moyenne de 31 heures hebdomadaires [...].

*Hermétique à toutes remarques : qui n'écoute pas les remarques.

*Happer : attraper, saisir.

D'après l'article « Dépendance aux jeux vidéo : les signes à surveiller » - Par Marielle Court - le 12/01/2012
http://sante.lefigaro.fr/actualite/2012/01/12/16882-dependance-jeux-video-signes-surveiller

---

Exercice 21 *Lisez le texte ou l'article puis présentez l'idée principale et donnez votre opinion.* ///////

Pourquoi le conflit* est-il nécessaire ?

Rappelons tout d'abord que le conflit fait partie de la nature humaine et que nous en avons tous besoin pour nous construire. La difficulté essentielle consiste en fait non pas à ne pas en avoir, mais surtout à apprendre à les gérer. [...] Le conflit peut être vécu comme essentiellement négatif. Dans ce cas, on va s'efforcer de l'éviter ou s'il est

> Pour vous aider à dégager le thème, soulignez les mots clés du texte. Devant l'examinateur, expliquez le thème en deux ou trois phrases maximum et avec des mots simples. Ne lisez pas les phrases du texte.

inévitable, de trouver une stratégie pour en minimiser l'importance ou même, si possible, faire comme s'il n'existait pas. Or, le conflit est une excellente occasion de remettre en question* ses pratiques et ses attitudes [...].

*Conflit : dispute, désaccord.

*Remettre en question : réfléchir sur.

D'après **www.familles-ge.ch** > Adolescence > Les rapports entre parents et adolescents

---

Exercice 22 *Lisez le texte ou l'article puis présentez l'idée principale et donnez votre opinion.* ///////

LES ADOS ET LEUR IMAGE, QUELLE HISTOIRE !

Avant même leur naissance, leurs parents se sont extasiés devant leur profil échographié* en 3D... Faut-il s'étonner que les adolescents d'aujourd'hui se prennent en photo tout le temps, modifient chaque jour leur profil sur *Facebook*, vivent et existent à travers leurs avatars, leurs looks, et leurs vêtements de marques ? Cette génération, le psychiatre Xavier Pommereau lui consacre son dernier

> Pour exprimer votre opinion sur le sujet, donnez des exemples concrets. Parlez de vous, de vos parents, de vos amis, etc.

ouvrage « Nos ados.com en images ». Il y raconte comment les 12-17 ans s'exposent et se mettent à l'épreuve, avec leurs excès, leurs réseaux virtuels, leur maîtrise à la fois experte et naïve d'outils qui sont souvent perçus comme dangereux par leurs parents. Or, au lieu d'en avoir peur, il faut s'y intéresser... car ce sont leurs moyens à eux de s'exprimer.

*L'échographie permet de voir le fœtus pendant la grossesse.

D'après l'article « Les ados et leur image, quelle histoire ! » leparisien.fr, le 11 janvier 2012
http://www.leparisien.fr/laparisienne/societe/les-ados-et-leur-image-quelle-histoire-11-01-2012-1806684.php

Exercice 23 *Lisez le texte ou l'article puis présentez l'idée principale et donnez votre opinion.*

Si, ils adorent les repas de famille

Il y a encore quinze ans, la phrase « À table ! », lancée par la mère de famille était accueillie par des grognements. L'entrée dans l'adolescence marquait le début d'un long désamour pour le repas en famille… En 2012, le tableau a bien changé. Les jeunes soulèvent joyeusement les couvercles des casseroles*, aident leurs parent à cuisiner et sont ravis* d'apporter un dessert fait maison. Selon un sondage TNS Sofres pour le Magazine *Psychologies*, 92 % des 15-24 ans estiment que se mettre à table en famille représente « la perspective de faire un bon repas ». Toutefois, il n'y a pas que l'estomac qui parle : 86 % ajoutent que cela correspond à « un besoin de se retrouver ». Et 82 % assurent même que cela n'est pas vraiment, ou pas du tout, un « rituel ennuyeux ». Une telle quasi-unanimité ne laisse pas de doute : retrouver frères, sœurs, parents et même grands-parents autour d'un bon petit plat, ils aiment ça.

*Casserole : ustensile pour faire la cuisine.
*Ravi : synonyme de « heureux ».

D'après l'article « Si, ils adorent les repas de famille » leparisien.fr, le 25 mai 2012
http://www.leparisien.fr/laparisienne/societe/si-ils-adorent-les-repas-de-famille-25-05-2012-2016310.php

Exercice 24 *Lisez le texte ou l'article puis présentez l'idée principale et donnez votre opinion.*

L'importance de la lecture chez l'enfant

Catherine Graindorge, professeur en psychiatrie de l'enfant et de l'adolescent, analyse le rapport des jeunes à la lecture et ce qu'elle leur apporte.

Quand il regarde la télévision ou Internet, l'enfant consomme les images. Plus on donne d'images aux enfants, moins il aura envie de lire. Pourtant, le livre lui permet de développer son imaginaire. Le livre, ce sont des moments de solitude, et les enfants vont peupler cette solitude par leurs représentations*. À partir d'un livre, ils vont découvrir un univers, la possibilité de s'identifier à des personnages et de se créer leur propre monde. L'enfant va pouvoir jouer à changer d'identité, ce qui est très positif pour sa construction. C'est le même mécanisme chez l'adolescent qui a déjà sa personnalité mais qui ne sait pas encore quel adulte il sera.

*Leurs représentations du monde, leur imaginaire.

Article « Catherine Graindorge : « En lisant, l'enfant change d'identité et c'est positif » - metrofrance.com, le 1er décembre 2011
http://www.metrofrance.com/culture/catherine-graindorge-en-lisant-l-enfant-change-d-identite-et-c-est-positif/pkla!96zvrux0wea8Ch78kHvYog/

II Sur l'école, l'environnement scolaire

Exercice 25 *Lisez le texte ou l'article puis présentez l'idée principale et donnez votre opinion.*

S'oriente-t-on trop jeune ? Il y a une vie après le bac

Décider, dès 17 ans, qu'on veut devenir médecin ou travailler toute sa vie dans les sciences, n'est-ce pas prématuré* ? Et si les taux d'échec dans l'enseignement supérieur étaient largement dus à une orientation trop précoce ? Une question de plus en plus débattue. Par exemple par Jean-Charles Pomerol quand il était encore président de l'université Pierre et Marie Curie et qu'il affirmait « offrir une orientation et une sélection progressive entre bac* et bac + 3* ».

*Prématuré : trop tôt.

*Entre bac et bac + 3 : entre la première et la troisième année d'études universitaires (entre 18 et 21 ans).

*Bac (baccalauréat) : examen de fin de lycée en France.

D'après l'article « S'oriente-t-on trop jeune ? Il y a une vie après le bac » - 10 janvier 2012

http://orientation.blog.lemonde.fr/2012/01/10/s%E2%80%99oriente-t-on-trop-jeune-2/

Exercice 26 *Lisez le texte ou l'article puis présentez l'idée principale et donnez votre opinion.*

Éducation nationale : bilan très mitigé pour l'expérience du sport l'après-midi

Une étude du ministère montre que l'expérience n'a pas d'influence sur les résultats scolaires des élèves.

À la rentrée 2010, l'expérimentation « cours le matin, sport l'après-midi » a été lancée par le ministre de l'Éducation nationale afin de « contribuer, par une pratique régulière, à la réussite des élèves ainsi qu'à l'amélioration de leur bien-être et leur santé ». [...]

La Direction de l'évaluation et de la prospective a publié, vendredi, une première étude [...] qui communique un bilan plutôt mitigé. Les élèves disent se sentir « mieux dans leur corps depuis la rentrée » et les parents affirment que, depuis la rentrée scolaire et par rapport à l'an dernier, « la santé de leur enfant est restée stable (72 %) ou s'est améliorée (20 %) ».

[...] En revanche, il n'y a « pas d'influence notable sur la ponctualité, les absences et les sanctions », et l'expérimentation « n'influe pas sur les capacités déclarées de concentration, d'attention, de mémorisation et d'effort », selon l'étude.

Surtout, l'étude montre que la réussite scolaire n'est pas au rendez-vous : la moitié des parents d'élèves expérimentateurs affirment que les résultats scolaires de leur enfant sont « identiques à ceux de l'an dernier », tandis qu'un tiers (32 %) pensent qu'ils sont « meilleurs » et 17 % qu'ils sont « moins bons ».

D'après l'article « Éducation nationale : bilan très mitigé pour l'expérience du sport l'après-midi » Le Point.fr - Publié le 03/01/2012 à 17:14 - Modifié le 03/01/2012 à 17:15

http://www.lepoint.fr/societe/education-nationale-bilan-tres-mitige-pour-l-experience-du-sport-l-apres-midi-03-01-2012-1414918_23.php

---

Exercice 27 *Lisez le texte ou l'article puis présentez l'idée principale et donnez votre opinion.*

Les parents veulent que les devoirs se fassent à l'école

L'association *ATD-Quart monde*, qui a pour objectif d'éliminer l'extrême pauvreté, dévoile mardi matin le contenu de son étude [...] à laquelle ont participé douze organisations d'enseignants et de parents et qui est née du constat de l'aggravation de la situation des enfants des familles les plus défavorisées à l'école.

Ces dernières proposent que les apprentissages et les devoirs scolaires soient effectués dans le cadre de l'école.

À l'école primaire, l'interdiction concernant les devoirs, écrits à la maison, datant de 1956, est loin d'être respecté fait observer l'association. De plus, le travail scolaire « à la maison » aussi bien en primaire qu'au collège est source de grandes inégalités : conditions matérielles de travail, ressources documentaires, accès à Internet, disponibilité et compétences des parents, etc.

D'après l'article « Les parents veulent que les devoirs se fassent à l'école » Marie-Estelle Pech Mis à jour le 13/03/2012 à 11:38 publié le 12/03/2012 à 08:19

http://www.lefigaro.fr/actualite-france/2012/03/12/01016-20120312ARTFIG00736-les-parents-veulent-que-les-devoirs-se-fassent-a-l-ecole.php

Exercice 28 *Lisez le texte ou l'article puis présentez l'idée principale et donnez votre opinion.* ///////

De la philosophie au collège ?

Oui. Mais voyons de quoi il est question...

Des ateliers de réflexion

Les objectifs

Tout d'abord, ces ateliers visent à « faire participer les enfants aux grands débats sur les questions essentielles à la vie et à la civilisation. Dans ces ateliers, les enfants deviennent co-responsables des problèmes de civilisation. Le deuxième objectif est de « faire l'expérience de sa propre capacité à produire de la pensée sur des questions importantes pour l'humanité ».

D'après l'article « De la philosophie au collège » www.cafepedagogique.net n°123
http://www.cafepedagogique.net/lemensuel/lenseignant/documentation/Pages/2011/123_CDI_Une.aspx

Exercice 29 *Lisez le texte ou l'article puis présentez l'idée principale et donnez votre opinion.* ///////

La biométrie au collège

La biométrie, c'est cette technologie qui permet de reconnaître une personne à partir du contour de sa main, de ses empreintes digitales* ou de l'iris de son œil*. Certains collèges ont adopté ce genre de machines, par exemple pour contrôler l'accès des élèves à la cantine. Certains y trouvent un intérêt pratique (plus besoin de carte à transporter), d'autres y voient une inquiétante surveillance de données intimes.

*Empreinte digitale : trace de doigt (index droit) prise avec de l'encre pour l'identification des individus.
*Iris de l'œil : partie colorée de l'œil.

D'après la rubrique « Pour ou contre » du blog.okapi.fr 18 février 2011
http://blog.okapi.fr/category/college/pour_ou_contre/

Exercice 30 *Lisez le texte ou l'article puis présentez l'idée principale et donnez votre opinion.* ///////

Les stages au collège

> Même si vous avez l'impression de ne rien avoir à dire sur un sujet, essayez toujours de donner votre opinion. Vous pouvez aussi inventer l'opinion de quelqu'un d'autre...

Les stages ne sont pas réservés à la voie professionnelle ! Dès la classe de 3e*, les collégiens peuvent découvrir l'entreprise... à condition de trouver eux-mêmes leur stage.

En 3e, chaque collégien suit un stage obligatoire. Il peut être guidé dans ses recherches par le professeur principal et toute l'équipe pédagogique. L'entourage (parents, amis, associations) constitue aussi une aide précieuse. [...]

Objectif : grâce à ce stage d'observation obligatoire pour tous les collégiens de 3e, on découvre le fonctionnement d'une entreprise : son organisation, ses activités, les personnes qui collaborent, les rythmes de travail... Un moment pour s'informer, tester ses goûts tout en intégrant les règles et les habitudes de l'entreprise : ponctualité, politesse, rigueur...

Durée : 1 semaine comprise dans l'emploi du temps.

Lieu : entreprise publique, privée, hôpital, association, lycée...

*3e : dernière année du collège en France.

D'après l'article « Les stages au collèges » publication : juin 2010
www.onisep.frhttp://www.onisep.fr/Decouvrir-les-metiers/Premiers-pas-vers-l-emploi/Stages-en-entreprises/Les-stages-au-college

Production orale

Exercice 31 *Lisez le texte ou l'article puis présentez l'idée principale et donnez votre opinion.*

QUAND LE CINÉMA FAIT LA PROMOTION DU TABAC

Malgré l'interdiction de vente du tabac aux moins de 18 ans, la hausse du prix des cigarettes, les campagnes de prévention et l'interdiction dans les collèges et lycées, la part de jeunes Français qui fument ne diminue plus. Pourquoi ? À l'occasion de la Journée mondiale sans tabac, la Ligue contre le cancer donne un élément d'explication en publiant une étude sur la présence du tabac au cinéma, que *Le Figaro* dévoile. L'association a regardé les 180 films français ayant comptabilisé le plus grand nombre d'entrées entre 2005 et 2010. Elle dénonce « la trop forte présence du tabac sur les écrans » et demande une prise de conscience du monde du 7e art.

D'après sante.lefigaro.fr, le 30 mai 2012 (résumé du site : **http://www.curiosphere.tv/adolescences/dossiers.cfm?onglet_id=2&dossier_id=1464**
http://sante.lefigaro.fr/actualite/2012/05/30/18270-quand-cinema-fait-promotion-tabac

Exercice 32 *Lisez le texte ou l'article puis présentez l'idée principale et donnez votre opinion.*

Confiance des jeunes dans l'avenir

83 % pensent que le monde va mal.
75 % estiment que l'état du monde ne va pas s'améliorer, voire qu'il va se dégrader.
76 % pensent qu'ils vont s'en sortir.
87 % déclarent qu'il faut changer les choses.

En 2011, les 15-25 ans sont encore près de 83 % à estimer que le monde va mal, un jeune sur deux pense même que son niveau de vie dans le futur sera moins élevé qu'aujourd'hui.

Pourtant, même si les jeunes ont été directement touchés par la crise et portent un regard critique sur la société, les jeunes d'aujourd'hui ne sont ni fatalistes ni désespérément pessimistes. En effet, ils sont plus des 3/4 convaincus de pouvoir s'en sortir*. Les jeunes ne veulent pas changer complètement la société. Par exemple, ils ne remettent pas en cause la société de consommation, mais préfèrent s'y adapter et en même temps faire attention à ne pas être trop manipulés.

*S'en sortir : réussir dans la vie, malgré les difficultés.

D'après le « Résultat et rapport d'analyse. Vague 4, les jeunes et les médias - Janvier 2011 » de l'observatoire de la confiance, La Poste.
http://www.injep.fr/spip.php?page=mot_th&id_mot=106

Exercice 33 *Lisez le texte ou l'article puis présentez l'idée principale et donnez votre opinion.*

La société de consommation : une affaire de marques

Rien n'est laissé au hasard quand il s'agit de convaincre un enfant - ou ses parents - qu'un jouet est fait pour lui. Les marques font appel à des agences de marketing qui étudient en détail les goûts de leurs « cibles ». Quelles formes et couleurs attirent le plus les filles de 11 ans ? Et les garçons de 13 ans ? Des prototypes (les tout premiers exemplaires du produit) sont élaborés puis testés sur des groupes d'enfants. Les testeurs sont ensuite invités à donner leur avis sur le jouet. Chaque famille française dépense en moyenne 236 € par an et par enfant. Résultat, la France est le deuxième consommateur de jouets en Europe ! Les jeunes savent-il encore se divertir sans jouets ?

D'après Le Monde des ados n°265, 7 décembre 2011, p.17

Exercice 34 *Lisez le texte ou l'article puis présentez l'idée principale et donnez votre opinion.* ////////

Que penser de l'usage des tablettes chez l'enfant ?

Certains textes donnent plusieurs opinions sur le thème. Aidez-vous de ces opinions pour en dire plus sur le sujet et finalement exprimer ce que vous pensez.

George, 22 mois, a entre ses mains un jeu pour les grands - un iPad. Une situation de plus en plus fréquente qui divise parents et pédiatres. Penché sur la tablette, l'enfant appuie sur les icônes de *La boîte à Meuh*, une application qui produit des sons de vaches, de canards et de chiens. Pour sa mère, Aurélie Mercier, 32 ans, les applications iPad ont l'avantage de repousser les limites du monde de son fils : « C'est une fenêtre ouverte sur des milliers de choses que nous n'avons pas à la maison ». Pour la pédiatre texane Ari Brown, pendant que les enfants jouent avec des tablettes, ils ne font pas une autre activité qui pourrait être plus bénéfique.

D'après l'article « Que penser de l'usage des tablettes chez l'enfant ? », lepoint.fr, le 28 avril 2012
http://www.lepoint.fr/societe/que-penser-de-l-usage-des-tablettes-chez-l-enfant-28-04-2012-1456179_23.php

Exercice 35 *Lisez le texte ou l'article puis présentez l'idée principale et donnez votre opinion.* ////////

Les enfants et *Facebook*

Facebook est interdit aux moins de 13 ans. Pourtant 38 % des moins de 13 ans ont un compte. Ces chiffres sont le résultat d'une étude américaine menée par *MinorMonitor*. Par ailleurs, on apprend que 4 % de ces enfants ont moins de 6 ans. Ces derniers courent-ils un risque à surfer sur les réseaux sociaux ? La majorité des parents se disent « inquiets ». Mais alors, comment surveiller son enfant sur *Facebook* ? La moitié des parents interrogés avoue assurer un contrôle en se connectant avec les identifiants de leurs enfants. D'autres parents préfèrent être « amis » avec le compte de leurs enfants pour surveiller leurs activités.

D'après l'article Facebook : 4% des enfants inscrits ont moins de 6 ans - Elle.fr le 12 avril 2012
http://www.elle.fr/Maman/News/Facebook-4-des-enfants-inscrits-ont-moins-de-6-ans-1984902#id=I1_133832 9871203&parent=http%3A%2F%2Fwww.elle.fr&rpctoken=93237561&_methods=onPlusOne%2C_ready%2C_ close%2C_open%2C_resizeMe%2C_renderstart

Épreuve blanche de production orale   ... / 25 points

Partie 2

Exercice en interaction - sans préparation - 3 à 4 minutes

Sujets au choix

Sujet 1 *Réclamation.* //

Vous avez acheté un jeu vidéo, en France. Au bout de quinze jours, vous vous rendez compte qu'il ne fonctionne pas correctement. Vous allez au magasin pour demander à être remboursé. Le vendeur refuse car les remboursements ne sont valables que dix jours maximum. Vous lui expliquez votre cas.

L'examinateur joue le rôle de l'employé.

Production orale

Sujet 2 *La télévision.* //

Vous êtes en France pour un séjour linguistique. Le fils de votre famille d'accueil regarde une émission à la télévision. Cette émission est très difficile à comprendre pour vous. Vous essayez de le convaincre de changer de chaîne.

L'examinateur joue le rôle du fils de la famille d'accueil.

Partie 3

Monologue suivi - avec préparation - 5 à 7 minutes

Sujets au choix

Sujet 1 *Lisez le texte ou l'article puis présentez l'idée principale et donnez votre opinion.* ///////////

Voyager seul

Un voyage, ça ne s'improvise pas. Entre l'achat des billets de train, les locations de matériel, d'appartement et l'organisation des courses... les vacances demandent de l'organisation. Et pas seulement pour les destinations plus lointaines d'été. « En partant seuls en vacances, les jeunes apprennent à mettre en place un projet. Un séjour se prépare en amont. Même pour ceux qui veulent partir avec un sac à dos à l'aventure, il faut anticiper les difficultés », décrit Michel Fize. À partir de quel âge les adolescents peuvent-ils partir ? Pour le sociologue, l'âge charnière se situe entre 15 et 16 ans. « C'est le passage de l'adolescence à la jeunesse. Ça correspond généralement à l'entrée au lycée. À 15 ans, les jeunes sont en pleine possession de leurs moyens physiques et psychiques. Ils ont acquis assez d'expérience pour se débrouiller tout seuls. »

D'après l'article « Votre ado part seul » 7/03/2012 Le Parisien
http://www.leparisien.fr/laparisienne/maman/votre-ado-part-seul-07-03-2012-1893948.php

Sujet 2 *Lisez le texte ou l'article puis présentez l'idée principale et donnez votre opinion.* ///////////

Parents et jeunes adultes : qui paie quoi ?

Les parents se demandent jusqu'où ils peuvent payer les études de leurs enfants et jusqu'à quand. Nicolas, 20 ans, vient d'être reçu dans une école de commerce à Rouen. Sa famille habitant à Paris, il va donc quitter le domicile de ses parents et ces derniers vont devoir, en plus des frais de scolarité élevés, payer un loyer. Mais comme ils en ont les moyens*, explique son père, et qu'ils veulent « assurer son avenir », ils acceptent volontiers de « faire ce sacrifice ». Sa sœur, par contre, a abandonné ses études en cours d'année. « On l'a obligée à chercher un job pour qu'elle s'occupe, dit-il. Elle a donc travaillé comme caissière dans un supermarché pendant trois mois. » [...] Il y a une règle de base que les parents appliquent souvent : ils troquent* en quelque sorte la réussite contre le financement des études. »

*Avoir les moyens : avoir assez d'argent.
*Troquer : échanger, monnayer.

Parents et jeunes adultes : qui paie quoi ? - La Croix - Mercredi 29 août 2007

Le Quiz du delf

Regardez la vidéo *Le Quiz du DELF* sur le CD-ROM du livre et répondez aux questions.

Situations	Réponse A	Réponse B	Réponse C
Situation **1**			
Situation **2**			
Situation **3**			
Situation **4**			
Situation **5**			
Situation **6**			
Situation **7**			
Situation **8**			
Situation **9**			
Situation **10**			

Ma note : */ 10*

Delf blanc

Delf blanc n°1
Compréhension orale   ... / 25 points

Vous allez entendre 3 documents sonores, correspondant à 3 exercices.
Pour le premier et le deuxième document, vous aurez :

- 30 secondes pour lire les questions ;
- une première écoute, puis 30 secondes de pause pour commencer à répondre aux questions ;
- une deuxième écoute, puis 1 minute de pause pour compléter vos réponses.

Répondez aux questions, en cochant (✓) la bonne réponse ou en écrivant l'information demandée.

Exercice 1 *Lisez les questions. Écoutez l'enregistrement puis répondez.* //////////////////////

... / 6 points

1 • Qu'a retrouvé la mère de Tom ?   ... / 1 point

....

2 • Sur la photo quand il était bébé, Tom se trouve...   ... / 1 point

   a. beau. **b.** laid. **c.** avec un fort caractère.

3 • Comment était le père de Tom à l'époque ?   ... / 1 point

....

4 • Madame Jacqueline...   ... / 1 point

   a. était colérique. **b.** était très gentille. **c.** détestait les enfants.

5 • Pourquoi Tom pleure-t-il sur la photo ?   ... / 1 point

....

6 • Tom et son frère...   ... / 1 point

   a. se ressemblent beaucoup. **b.** se ressemblaient quand ils étaient petits. **c.** ont toujours été très différents.

Exercice 2 *Lisez les questions. Écoutez l'enregistrement puis répondez.* //////////////////////

... / 8 points

1 • Quel est le métier de l'invité ?   ... / 1 point

....

2 • Le Docteur Jeannin fait une comparaison entre...   ... / 1 point

    a. le soleil et le vin.   **b.** le soleil et les crudités.   **c.** le soleil et les centres de bronzage.

3 • Quels sont les apports positifs du soleil ?   ... / 1 point

....

4 • Dans quel cas peut-il être dangereux ?   ... / 1 point

....

5 • Quelles sont les heures de la journée les plus dangereuses ?   ... / 1 point

....

6 • Le Docteur Jeannin trouve qu'il y a un « comportement abusif » lorsque...   ... / 1 point

    a. les vacanciers se préoccupent d'abord de leur bronzage.
    b. les vacanciers ne mettent pas de crème solaire.
    c. les vacanciers ne consultent pas de médecin.

7 • Quels sont les dangers plus graves pour la peau ? (Deux réponses attendues.)   ... / 2 points

....

Exercice 3   *Lisez les questions. Écoutez l'enregistrement puis répondez.* ////////////////////////////

                                                            ... / 11 points

1 • Où a lieu le premier voyage ?   ... / 1,5 point

....

2 • Ce voyage est prévu...   ... / 1 point

    a. pour les classes de 4e.   **b.** pour les élèves d'espagnol.   **c.** pour toutes les classes.

3 • Quelles sont les visites prévues lors de ce voyage ?   ... / 2 points

....

4 • Quels élèves partiront à Bilbao ?   ... / 2 points

....

5 • Vous rencontrerez vos correspondants espagnols...   ... / 1 point

    a. une seule fois à Bilbao.   **b.** avant et pendant le voyage à Bilbao.   **c.** pendant et après le voyage à Bilbao.

6 • Quel voyage est payant ?   ... / 1,5 point

....

7 • Vous pouvez vous informer... (Deux réponses attendues.)   ... / 2 points

    a. à la Vie scolaire.   **b.** sur le tableau d'affichage.   **c.** auprès de madame Gauthier.
    d. auprès du professeur de français.   **e.** sur le site de l'école.

Compréhension écrite
... / 25 points

Exercice 1 *Répondez aux questions, en cochant (✓) la bonne réponse ou en écrivant l'information demandée.* //

Votre professeur vous a demandé d'acheter un livre en français facile, correspondant aux critères suivants :

... / 10 points

- un livre d'aventure ;
- du niveau intermédiaire ;
- de 50 à 100 pages ;
- sur le thème du voyage ;
- votre budget est de 16 euros maximum.

Vous avez lu ces quatre résumés dans un catalogue.

Le tour du monde en 80 jours
Jules Vernes

Ce roman, grand classique de la littérature française, nous raconte la course autour du monde d'un gentleman anglais qui a fait le pari de réussir cet exploit en 80 jours. Il est accompagné par Jean Passepartout, son fidèle assistant français. De l'Angleterre aux Amériques, les deux hommes traversent une époque et des cultures au cours d'un périple passionnant et mouvementé.

Livre de poche.
14,50 € illustré
70 pages - Édition en français facile
Niveau intermédiaire

20 000 lieues sous les mers
Jules Vernes

Le scientifique français Pierre Aronnax et son fidèle domestique sont capturés par le capitaine Nemo, qui traverse les océans du globe dans son fameux sous-marin *Le Nautilus*.
L'histoire raconte leurs nombreuses aventures, comme un combat avec des calamars géants et d'autres rencontres dangereuses dans les profondeurs inconnues des mers. *20 000 lieues sous les mers* est le roman le plus connu de Jules Verne. Dans ce livre, l'auteur montre son talent en créant un univers aquatique des plus fascinants.

Edition spéciale 16 euros
Texte original (niveau avancé)
85 pages

Le Comte de Monte-Cristo
Alexandre Dumas

Edmond Dantès, un jeune marin de 19 ans, rencontre par hasard Napoléon et accepte la mission qu'il lui confie. Cette rencontre détruira sa vie. À la suite d'une série de mensonges et de trahisons, le jeune homme est enfermé dans la terrible prison du Château d'If. Là-bas, il rencontre l'abbé Faria qui devient son maître intellectuel. En mourant, le vieil homme lui donne une carte au trésor. Une fois libre et devenu riche, Edmond Dantès se consacre entièrement à sa vengeance. Un roman inoubliable où les aventures et les passions se suivent à un rythme endiablé.

Livre de poche 15,90 €
Édition en français facile
Niveau intermédiaire
120 pages

L'explorateur intrépide
réalisé par René Talin

Denis Partabou, jeune anthropologue et boxeur célèbre, part au cœur de la jungle amazonienne à la rencontre du peuple Yakioa. Mais avant de rencontrer enfin cette mystérieuse tribu, le jeune homme affrontera de nombreuses situations plus dangereuses les unes que les autres. Au cours de ce voyage, dans une nature souvent hostile, il apprendra à survivre grâce à son instinct. Faite de paysages magnifiques, d'action et d'aventures, cette très belle adaptation du roman de Celia Gartomet est une vraie réussite.

DVD + livret pédagogique (20 pages)
Collection français facile
13,50 €
Niveau intermédiaire

	Le tour du monde en 80 jours		20 000 lieux sous les mers		Le comte de Monte-Cristo		L'explorateur intrépide	
	OUI	NON	OUI	NON	OUI	NON	OUI	NON
Livre d'aventure								
Niveau intermédiaire								
Nombre de pages								
Thème du voyage								
16 euros maximum								

Quel livre choisissez-vous ?

....

Exercice 2 *Lisez le document puis répondez aux questions.* //

... / 15 points

Super-grandparents.fr : un site pour rencontrer des grands-parents d'adoption pour son enfant

Lancé en 2007, le site Super-grandparents.fr propose de mettre en relation des parents cherchant un papi et/ou une mamie pour leurs enfants et des seniors prêts à devenir grands-parents de cœur. Comment fonctionne-t-il ? Quelles sont les attentes de ses utilisateurs ?

Des grands-parents de cœur
Maman solo, Delphine a perdu ses parents. Pourtant, elle rêve que ses filles « puissent raconter leurs joies et leurs peines » à des grands-parents et aimerait elle-même discuter avec « des gens proches affectivement et plus âgés ».
Quant à Philippe, brouillé* **avec sa famille,** et Fanny, dont les parents sont décédés, ils expliquent que leurs « deux enfants ne comprennent pas pourquoi leurs copains ont un papi et une mamie, et pas eux ».
Ces témoignages, postés sur le site Super-grandparents.fr, renvoient à des situations familiales différentes, mais reflètent un même souci : permettre à des enfants qui souffrent de l'absence de leurs aïeux de trouver des grands-parents de cœur. Comme 13 000 autres internautes,

ces parents se sont donc inscrits sur ce site de rencontre unique en son genre, créé fin 2007 par Christelle Levasseur, une mère de famille.

Un site de rencontre sécurisé
Une inscription est nécessaire pour accéder au site. Première étape : remplir un formulaire. Vous choisissez un pseudo et un mot de passe, qui seront nécessaires pour chaque connexion. Il vous sera ensuite demandé de donner quelques informations sur vous et vos enfants, comme leurs centres d'intérêt, avant de préciser vos critères de recherche : âge, proximité géographique…
En dernier lieu, vous devrez résumer les motifs de votre démarche. Un champ étudié de près par les modérateurs de site, afin de juger si vos aspirations correspondent bien à son esprit. En clair, il ne s'agit pas de recruter des nounous* **bénévoles**…
Vous disposez à l'inscription d'un quota de messages gratuits. Il faut ensuite s'abonner pour tchater* ou écrire à des membres du site.

Passer du virtuel au réel
« Une telle relation ne peut pas s'instaurer du jour au lendemain,

explique Christelle Levasseur. C'est une expérience très forte : tout à coup, des gens s'intéressent à vous. Il faut prendre le temps de se connaître en discutant en ligne. » Un conseil qu'elle a suivi elle-même. Partie en quête de grands-parents de cœur pour ses quatre enfants, elle vient de fixer un rendez-vous avec un couple de retraités. Elle échange des messages avec eux depuis deux mois et demi. Le courant semble passer, mais elle les verra d'abord sans les enfants, afin d'éviter toute déception.

410 mots

*Brouillé : fâché.

*Nounou : nourrice / garde d'enfants.

*Tchater : communiquer par messages écrits en temps réel via Internet/messagerie instantanée.

D'après l'article « Super-grandparents.fr : un site pour rencontrer des grands-parents d'adoption pour son enfant » le 17 juillet 2010 Aurélie Djavadi

http://www.vosquestionsdeparents.fr/dossier/693/un-site-pour-rencontrer-des-grands-parents-dadoption/sectionId/5

1 • À quoi sert le site *super-grandsparents.fr* ? ... / 2 points

....

2 • Pourquoi Delphine et Fanny ont consulté *super-grandsparents.fr* ? ... / 1 point

    a. Leurs enfants n'ont pas de grands-parents.

    b. Les grands-parents habitent très loin.

    c. Elles ont besoin de faire garder leurs enfants.

3 • Dites si les affirmations suivantes sont vraies ou fausses en cochant la case correspondante et citez les passages du texte qui justifient votre réponse. (1,5 point par bonne réponse.)

> Pour obtenir 1.5 point, vous devez avoir donné la bonne réponse et fourni une justification correcte.

... / 3 points

	VRAI	FAUX
a. Les personnes qui écrivent sur ce site ont le même problème. *Justification :*		
b. Il est possible d'entrer librement sur le site. *Justification :*		

4 • Quelles sont les premières étapes pour faire une demande sur *super-grandsparents.fr* ? (Deux réponses attendues.) ... / 2 points

....

5 • Pourquoi les modérateurs font une sélection précise des demandes ? ... / 2 points

....

6 • Que faut-il faire lorsque les messages gratuits sont terminés ? ... / 2 points

....

7 • Dites si les affirmations suivantes sont vraies ou fausses en cochant la case correspondante et citez les passages du texte qui justifient votre réponse. (1,5 point par bonne réponse.) ... / 3 points

	VRAI	FAUX
a. Les rapports s'installent très rapidement. *Justification :*		
b. Christine Levasseur va tout de suite présenter ses enfants. *Justification :*		

Production **écrite**

... /25 points

Vous habitez en Belgique. Vous lisez cette affiche dans votre quartier :

> *Pour des lieux publics propres, nous appelons les jeunes à participer, une fois par mois, au nettoyage des rues et des parcs de notre quartier. Si vous tenez au respect des espaces verts et de l'environnement, rejoignez-nous ! Contact : Emmanuelbordes@jmmon quartier.fr*

Vous voulez participer à cette initiative. Vous écrivez à Emmanuel. Vous lui expliquez ce que vous faites déjà pour l'environnement et vous dites ce que vous pensez de ce projet et de ses conséquences dans votre quartier. (160 à 180 mots.)

Production **orale**

... / 25 points

Partie 2

Exercice en interaction - sans préparation - 3 à 4 minutes

Vous tirez au sort deux documents et vous en choisissez un. Vous jouez le rôle qui vous est indiqué.

Sujets au choix

Sujet 1 *Visites.* //

Vous êtes en vacances, à Bruxelles, avec un ami français. Il veut encore visiter plusieurs musées et monuments. Vous êtes très fatigué, vous aimeriez rentrer à l'hôtel pour vous reposer, mais vous ne pouvez pas vous séparer. Vous essayez de le convaincre de rentrer à l'hôtel.

L'examinateur joue le rôle de votre ami français.

Sujet 2 *Prêt d'un objet.* ///

Vous avez prêté un CD de musique, il y a un mois, à un ami de votre correspondant français. Cet ami ne vous a jamais rendu le CD. Vous en parlez à votre correspondant pour qu'il trouve une solution.

L'examinateur joue le rôle de votre correspondant français.

Partie 3

Monologue suivi - avec préparation - 5 à 7 minutes

Vous tirez au sort deux documents et vous en choisissez un.
Vous dégagez le thème soulevé par le document et vous donnez votre opinion sous la forme d'un exposé personnel de 3 minutes environ.
L'examinateur pourra vous poser quelques questions.

Sujets au choix

Sujet 1 *Lisez le texte ou l'article puis présentez l'idée principale et donnez votre opinion.* /////////////

Plaisir d'apprendre

Le plaisir d'apprendre, très présent chez les jeunes enfants, diminue nettement au cours de leur scolarité : seuls 42 % de collégiens et 40 % de lycéens sont heureux de découvrir.

[...] La grande majorité des parents d'élèves (85 %), du public comme du privé, affirment que leurs enfants sont plutôt heureux d'aller à l'école. Mais il faut apporter à ces résultats quelques nuances importantes [...] Seuls 21 % des parents estiment que leurs enfants sont « tout à fait heureux », et 64 % « plutôt heureux ». Et il décroît* aussi avec l'âge : un collégien sur cinq et un lycéen sur quatre ne sont pas heureux en classe. Ce qui représente tout de même plus d'un million d'élèves.

Par ailleurs, quand ils sont contents d'aller à l'école, c'est surtout pour y retrouver leurs copains (pour 70 % des collégiens et 76 % des lycéens). En revanche, le plaisir d'apprendre, très présent chez les jeunes enfants (notamment en maternelle), s'érode* nettement au cours de leur scolarité [...].

*Décroît : diminue, baisse.
*S'érode : se dégrade.

D'après l'article « Le système démotive et exclut trop souvent » 29/05/2012 www.lacroix.com
http://www.la-croix.com/Famille/Parents-Enfants/Dossiers/ Education-et-Valeurs/A-l-ecole/Le-systeme-scolaire-demotive-et-exclut-trop-souvent-_EG_-2012-05-29-811929

Production **orale**

Sujet 2 *Lisez le texte ou l'article puis présentez l'idée principale et donnez votre opinion.* ///////////

Quand *Facebook* déprime les ados

Et voici la « dépression *Facebook* ». Selon une note récente de l'*American Academy of Pediatrics* (AAP), elle toucherait des adolescents ou préados qui consultent intensivement les médias sociaux. [...] Les médecins américains évoquent des risques de repli sur soi dans la vie virtuelle au détriment des relations réelles et des activités physiques. Ou encore une jalousie des profils des autres qui paraissent toujours extraordinaires. Près de 10 % des jeunes interrogés reconnaissent que la gestion de leur profil *Facebook* les stresse ; ils sont nombreux à se sentir coupables de rejeter*

des demandes d'amitié sur le réseau. Enfin, beaucoup ne savent pas comment éliminer les amis devenus indésirables. D'après Amélie, qui vient de vivre cette situation, être rejetée sur *Facebook* est « l'humiliation suprême ».

*Rejeter : ne pas accepter/refuser.

D'après l'article « Quand Facebook déprime les ados » sante.lefigaro.fr, le 07 mai 2012
http://sante.lefigaro.fr.actualite/2012/ 05/07/18133-quand-facebook-deprime-ados

Delf blanc n°2

Compréhension orale   ... / 25 points

Vous allez entendre 3 documents sonores, correspondant à 3 exercices.
Pour le premier et le deuxième document, vous aurez :

- 30 secondes pour lire les questions ;
- une première écoute, puis 30 secondes de pause pour commencer à répondre aux questions ;
- une deuxième écoute, puis 1 minute de pause pour compléter vos réponses.

Répondez aux questions, en cochant (✔) la bonne réponse ou en écrivant l'information demandée.

Exercice 1 *Lisez les questions. Écoutez l'enregistrement puis répondez.* //////////////////////////////////

... / 6 points

1 • De quel stage le professeur s'occupe-t-il ?   ... / 1 point

    a. Un stage de peinture et de dessin.

    b. Un stage sur la peinture et la mythologie.

    c. Un stage d'art et d'histoire.

2 • Que veut Omar ?   ... / 1 point

    a. S'inscrire tout de suite au stage.   **b.** Avoir des informations sur le stage.   **c.** Aider à organiser le stage.

3 ● Que vont approfondir les élèves pendant le stage ?   ... / 1 point

....

4 ● Pendant le stage, les élèves vont...   ... / 1 point

    a. visiter et se baigner. **b.** visiter et apprendre en s'amusant. **c.** visiter et prendre des cours en classe.

5 ● Citez une activité que les élèves vont faire pendant le stage.   ... / 1 point

....

6 ● Pour en savoir plus sur le stage, le professeur...   ... / 1 point

    a. va distribuer des documents informatifs sur le stage.

    b. va diffuser un film sur le stage.

    c. va afficher des photos du précédent stage.

Exercice 2 *Lisez les questions. Écoutez l'enregistrement puis répondez.* ////////////////////////

... / 8 points

1 ● Qu'est-ce qui fait la particularité du Théâtre de la cité ?   ... / 1 point

    a. La beauté du lieu et ses équipements. **b.** Sa situation dans la ville. **c.** C'est un théâtre pour enfants.

2 ● Avec ce nouveau théâtre, qu'est-ce qui va être valorisé ?   ... / 1 point

....

3 ● Le Théâtre de la cité ...   ... / 1 point

    a. est une nouvelle construction. **b.** remplace un cinéma. **c.** remplace un ancien théâtre.

4 ● Citez deux points positifs de ce nouveau théâtre.   ... / 2 points

....

5 ● Il a été difficile de créer ce nouveau lieu parce que... (Deux réponses attendues.)   ... / 2 points

    a. c'est un gros travail qui présente des problèmes.   **b.** la mairie n'était pas d'accord.

    c. l'équipe n'était pas très motivée.   **d.** c'est une période de crise.

    e. il n'y avait pas assez de personnes pour travailler.

6 ● Pourquoi sait-on que cette nouvelle ouverture du théâtre est un succès ?   ... / 1 point

....

Exercice 3 *Lisez les questions. Écoutez l'enregistrement puis répondez.* ////////////////////////

... / 11 points

1 ● Paul Kaven est...   ... / 1 point

    a. réalisateur. **b.** comédien de théâtre. **c.** acteur de cinéma.

2 • Pourquoi Paul Kaven souhaite-t-il parler de sa profession ? ... / 2 points

....

3 • À quel moment doit-il attendre le plus ? ... / 2 points

....

4 • Où les acteurs sont-ils pendant ces périodes d'attente ? ... / 1 point

....

5 • Les gens pensent que les acteurs sont... ... / 1 point

   a. similaires à leurs personnages.   **b.** des gens comme tout le monde.   **c.** souvent riches et antipathiques.

6 • Quelles sont les grandes satisfactions citées par Paul Kaven ? ... / 2 points

....

7 • Pourquoi est-il plus facile de jouer au théâtre ? ... / 2 points

....

Compréhension écrite ... / 25 points

Exercice 1 *Répondez aux questions, en cochant (✓) la bonne réponse ou en écrivant l'information demandée.* //

... / 10 points

Votre école propose plusieurs sorties scolaires d'une journée. Vous choisissez une de ces sorties selon les critères suivants :

- la sortie peut avoir lieu du lundi au vendredi, sauf le mercredi ;
- vous aimez l'histoire ;
- les visites doivent être guidées ;
- votre budget est de 30 € tout compris ;
- vous ne voulez pas prendre plusieurs transports en commun pour y aller.

Vous lisez ces quatre annonces sur le panneau d'affichage de votre école.

Musée du Moyen Âge
Visite le mardi 5 juin

Ce musée national a été fondé en 1843. On peut y voir des thermes qui datent des Ier au IIIe siècles et de l'antiquité gallo-romaine. Ces thermes étaient bien sûr ouverts au public et, parmi les différents espaces encore visibles, le *frigidarium* (salle froide) et le *caldarium* (salle chaude) peuvent se visiter.
La participation par élève est de 25 € : entrée + visite guidée + transport en bus scolaire + déjeuner.
Rendez-vous à 8 h 30 devant le gymnase.
Pour l'inscription voir madame Lucas, professeur d'histoire.

Cité des sciences
Jeudi 14 avril – Journée organisée et guidée par M. Paul, professeur de physique

Derrière des murs de verre et d'acier, la Cité offre mille activités sur les sciences et techniques de façon ludique. Conférences, aquarium, cinéma en relief, cités des enfants, des métiers, de la santé, expositions, médiathèque, planétarium, ateliers… : difficile de tout découvrir en une fois.
Entrée exposition + planétarium + géode + argonaute : 20 €
Transport en bus depuis l'école, départ 8 h 00-retour 18 h 00 : 15 €
Apporter le pique-nique.

Château de Maison Laffitte
Excursion le lundi 7 mai

Château du XVIIe siècle, construit par François Mansart à l'époque de Louis XIV. Son architecture est l'un des meilleurs exemples de l'art classique français. Au cours de la visite, vous découvrirez le grand escalier à jour et son décor sculpté et restauré, l'appartement du Roi et son fameux cabinet aux Miroirs ainsi que le superbe décor de la Salle à manger du comte d'Artois.

Entrée + Visite guidée + repas : 30 €

Départ à 8 h 30, rendez-vous au Métro/RER maison Laffitte : deux arrêts de métro puis bus n° 262. N'oubliez pas d'acheter deux tickets (aller et retour).
Inscriptions au secrétariat.

Jardin botanique
Sortie mercredi 16

Ouvert en 1898, sur une surface de 60 500 m². Le jardin offre le charme d'une architecture de la fin du XIXe siècle, l'exotisme des plantes tropicales et la richesse d'un jardin botanique. Un voyage à travers l'espace et le temps. Louis XV y fit aménager, en 1761, un jardin décoré de nombreux parterres de fleurs et déjà pourvu de serres. Entrée gratuite.

Pour y aller : tout le groupe part avec un bus de l'école – rendez-vous devant l'école à 9 h, retour à 17 h, prix pour le transport : 15 €/personne
Apportez votre pique-nique.

Pour vous inscrire, écrivez votre nom ci-dessous.

	Musée		Cité des sciences		Château		Jardin botanique	
	OUI	NON	OUI	NON	OUI	NON	OUI	NON
Jours / Horaires ouverture								
Relation avec l'histoire ou l'antiquité								
Transport								
Guide								
Tarifs								

Quelle sortie choisissez-vous ?

....

Exercice 2 *Lisez le document puis répondez aux questions.* //

... / 15 points

Heureux à l'école, une idée folle ?

L'A.P.E.L., Association des parents d'élèves de l'enseignement libre, organise son XVIIème congrès les 1er, 2 et 3 juin, à Clermont- Ferrand. 1 500 délégués sont attendus pour participer aux débats sur le thème : « Heureux à l'école, une idée folle ? Inventons l'école de demain. »

Au cœur de la réflexion de l'Apel, plusieurs préoccupations : la démotivation des élèves, la perte du goût et de la curiosité d'apprendre… l'ennui qui s'invite de plus en plus en classe dès le collège, et parfois même dès le primaire. Un constat qui inquiète et préoccupe les parents.
L'école est également accusée d'afficher des résultats médiocres aux dernières enquêtes internationales, d'être en décalage avec les attentes des jeunes et de leurs parents et d'être en retard quant à l'utilisation des outils numériques. Les élèves français ont la semaine de classe la plus longue de tous les pays de l'OCDE et pourtant :
• la France occupe la 22e place pour la maîtrise de la lecture et la 27e place pour celle des sciences ;
• 26 % des élèves ne maîtrisent pas les fondamentaux en lecture, à la fin du primaire ;
• 120 000 jeunes sortent chaque année du système éducatif français sans diplôme.

Les Français, dans leur immense majorité (92 %), souhaitent que l'école soit profondément réformée*. C'est pourquoi, l'Apel, à l'occasion de son congrès, souhaite :

- amener tous les membres de la communauté éducative à s'interroger sur la mission de l'école ;
- proposer aux participants d'imaginer l'école de demain ;
- interpeller non seulement les parents d'élèves, mais aussi les autres acteurs de la communauté éducative et les pouvoirs publics.

De novembre 2011 à avril 2012, des soirées-débats entre parents et enseignants ont eu lieu dans de nombreux établissements de l'Enseignement catholique afin de réfléchir, en communauté éducative, sur ce sujet.

Ce congrès est une occasion privilégiée pour l'Apel, porteuse des préoccupations des parents, de s'affirmer comme force de proposition dans le système éducatif français.

L'Apel, forte de ses 823 000 familles adhérentes, est la plus importante association nationale de parents d'élèves. Elle représente tous les parents d'élèves des établissements catholiques d'enseignement associés par contrat à l'État et participe activement au débat éducatif auprès des pouvoirs publics. Elle est apolitique et non confessionnelle*.

L'Apel propose aussi un ensemble de services pour répondre aux interrogations des parents et renforcer leurs compétences éducatives : le magazine *Famille & Education*, le site Internet www.apel.fr, son service d'information et conseil aux familles, une plate-forme téléphonique nationale : 0 810 255 255. Pour en savoir plus : www.apel.fr

425 mots

*Réformée : changée, modifiée.

*Non confessionnelle : elle n'est d'aucune religion.

Source : d'après l'article « Heureux à l'école, une idée folle ? » Infobourg 27 mai 2012
http://www.infobourg.com/2012/05/27/heureux-a-lecole-une-idee-folle/

1 • La réflexion de l'A.P.E.L. se base sur un constat...   ... / 1 point

    a. positif. **b.** négatif. **c.** neutre.

2 • Ce constat est visible principalement à partir...   ... / 1 point

    a. du primaire. **b.** du collège. **c.** du lycée

3 • Dites si les affirmations suivantes sont vraies ou fausses en cochant la case correspondante et citez les passages du texte qui justifient votre réponse. (1,5 point par bonne réponse.)   ... / 4,5 points

	VRAI	FAUX
a. L'école répond aux désirs des jeunes. *Justification :*		
b. Les élèves français sont meilleurs en lecture parce qu'ils étudient plus que les autres. *Justification :*		
c. Presque tous les français souhaitent que l'école soit différente. *Justification :*		

4 • Quels sont les objectifs de ce congrès ? (Deux réponses attendues.)   ... / 2 points

    a. Imaginer l'école du futur.   **b.** S'interroger sur la mission de l'école.   **c.** Créer un nouveau diplôme.

    d. Faire un bilan positif de l'école.   **e.** Dénoncer les pouvoirs publics.

5 • Quelle est l'ambition principale de l'A.P.E.L avec ce congrès ? ... / 2 points

....

6 • Quelles actions sont menées depuis novembre 2011 ? ... / 1,5 point

....

7 • Quels sont les services qui sont mis à disposition des parents ? (Trois réponses attendues.) ... / 3 points

....

Production écrite ... /25 points

Question du jour dans le blog Le Nouvel Ado

Peut-on tout dire à son(sa) meilleur(e) ami(e) ou faut-il garder ses secrets ?

Vous répondez à cette question. Vous racontez votre expérience et vous donnez votre opinion. (160 à 180 mots.)

Le Nouvel Ado

Production orale

Production orale ... / 25 points

Partie 2

Exercice en interaction - sans préparation - 3 à 4 minutes

Vous tirez au sort deux documents et vous en choisissez un. Vous jouez le rôle qui vous est indiqué.

Sujets au choix

Sujet 1 *Demande d'un service.* //

Vous êtes en France. Votre train a du retard. Vous voulez prévenir votre famille d'accueil mais votre téléphone n'a plus de batterie. Vous demandez à un voyageur de vous prêter son téléphone portable. Il refuse. Vous essayez de le convaincre de l'importance de cet appel.

L'examinateur joue le rôle du voyageur.

Sujet 2 *À la bibliothèque.* //

Vous êtes en France pour un échange scolaire. Vous rendez un livre à la bibliothèque, mais il est abîmé (une page est déchirée). Le bibliothécaire veut vous sanctionner. Vous expliquez que le livre était déjà dans cet état quand vous l'avez emprunté.

L'examinateur joue le rôle du bibliothécaire.

Partie 3

Monologue suivi - avec préparation - 5 à 7 minutes

Vous tirez au sort deux documents et vous en choisissez un.
Vous dégagez le thème soulevé par le document et vous donnez votre opinion sous la forme d'un exposé personnel de 3 minutes environ.

L'examinateur pourra vous poser quelques questions.

Sujets au choix

Sujet 1 *Lisez le texte ou l'article puis présentez l'idée principale et donnez votre opinion.* ///////////

LES « NOUVELLES » PUNITIONS

Ça y est, c'est officiel ! Pour sanctionner les élèves turbulents*, les collèges peuvent désormais leur imposer des « mesures de responsabilisation ». Ce sont en fait des sortes de « travaux d'intérêt général » : coup de main* à la cantine, nettoyage d'un mur tagué*, travail dans une association humanitaire… Le but : remplacer des punitions qui n'ont pas de sens (lignes à copier) ou qui peuvent même aggraver la situation (exclusion de la classe ou de l'établissement) par des punitions utiles à la communauté et qui permettent au « coupable » de mieux en comprendre la portée.

*Turbulents : agités.

*Coup de main : aide.

*Taguer : action de faire des tags, des graffitis, d'écrire sur les murs dans les lieux publics.

D'après la rubrique « Pour ou contre » du blog.okapi.fr 9 septembre 2011
http://blog.okapi.fr/category/college/pour_ou_contre/

Sujet 2 *Lisez le texte ou l'article puis présentez l'idée principale et donnez votre opinion.* //////////

LES PARENTS POURRONT DÉCONNECTER À DISTANCE LEURS ENFANTS D'INTERNET

Deux nouveaux logiciels mis au point par une société française permettent aux parents de surveiller à distance les pratiques de leurs enfants sur la Toile*. Le temps passé par les adolescents sur Internet est un sujet souvent conflictuel entre parents et enfants. En partant de ce constat, la société *Adonéom*, basée à Sophia-Antipolis, a développé deux logiciels pour surveiller la « consommation Internet » des enfants. Le premier s'appelle *Time Board* et décompte le temps passé sur la Toile. Le second, baptisé *Mess@ger*, limite par simple texto la durée d'utilisation de la machine, l'accès aux jeux, aux réseaux sociaux, ou les trois à la fois. L'enfant peut de son côté gérer son temps de connexion grâce à un tableau de bord l'informant de la durée d'accès autorisée.

*La Toite : Internet.

D'après l'article « Les parents pourront déconnecter à distance leurs enfants d'Internet » - la-croix.com, le 21 mars 2012, Catherine Monin
http://www.la-croix.com/Actualite/S-informer/
France/Les-parents-pourront-deconnecter-a-distance-leurs-enfants-d-Internet-_EP_-2012-03-21-780773

Delf blanc n°3

Compréhension orale

... / 25 points

Vous allez entendre 3 documents sonores, correspondant à 3 exercices.
Pour le premier et le deuxième document, vous aurez :

- 30 secondes pour lire les questions ;
- une première écoute, puis 30 secondes de pause pour commencer à répondre aux questions ;
- une deuxième écoute, puis 1 minute de pause pour compléter vos réponses.

Répondez aux questions, en cochant (✔) la bonne réponse ou en écrivant l'information demandée.

Exercice 1 *Lisez les questions. Écoutez l'enregistrement puis répondez.* //////////////////////////

... / 6 points

1 • Le groupe d'élèves visitent un lac qui... ... / 1 point

   a. plaisait aux artistes pour créer leurs œuvres.

   b. plaisait aux artistes pour passer les vacances.

   c. ne plaisait pas aux artistes.

2 • À quelle période le lac est-il devenu touristique ? ... / 1 point

....

3 • Pourquoi les visiteurs peuvent admirer facilement les paysages du lac ? ... / 1 point

   a. Le lac est très petit, on peut le visiter rapidement.

   b. Les routes sont près des bords du lac, il est facile de s'y arrêter.

   c. Il y a peu de monde et il est facile de se promener autour du lac.

4 ● Comment sont les rives autour du lac d'Annecy ?　　　　　　　　　... / 1 point

    a. Toutes identiques, sauvages et sans habitants.

    b. Toutes très peuplées et longées de villages.

    c. Très différentes, parfois très animées, parfois désertes.

5 ● Quelles sont les différences entre le lac du Bourget et le lac d'Annecy ?　　　... / 1 point

....

6 ● Quelle activité est prévue dans l'après-midi ?　　　　　　　　　... / 1 point

    a. Aller déguster des spécialités de la région.

    b. Aller pêcher des poissons dans le lac.

    c. Aller observer les animaux qui vivent dans le lac.

Exercice 2 *Lisez les questions. Écoutez l'enregistrement puis répondez.*

... / 8 points

1 ● Le salon de la photo est ouvert...　　　　　　　　　... / 1 point

    a. aux professionnels de la photographie.　**b.** à tout le monde.　**c.** aux passionnés de photographie.

2 ● Qui va accueillir les visiteurs ?　　　　　　　　　... / 1,5 point

....

3 ● Que propose l'exposition de Karl Lagerfeld ?　　　　　　　　　... / 1,5 point

....

4 ● Qui peut exposer ses photos le lundi 4 ?　　　　　　　　　... / 1 point

    a. Tous les passionnés de photos.

    b. Les gagnants du concours pour les nouveaux talents.

    c. Les grands photographes célèbres.

5 ● Le photographe Frédéric Decoux propose...　　　　　　　　　... / 1 point

    a. des photos de monuments.　**b.** des portraits.　**c.** des photos de la nature.

6 ● À quel événement faut-il s'inscrire rapidement ?　　　　　　　　　... / 2 points

....

Exercice 3 *Lisez les questions. Écoutez l'enregistrement puis répondez.*

... / 11 points

1 ● Cette offre d'emploi est...　　　　　　　　　... / 1 point

    a. pour toute une année.　**b.** pour les mois d'été.　**c.** à durée indéterminée.

2 ● Qui est concerné par cette offre d'emploi ?   ... / 1 point

    a. Tout le monde.   **b.** Les étudiants.   **c.** Les femmes.

3 ● Citez une des qualités requises pour les caissiers.   ... / 1 point

....

4 ● Que doit faire le magasinier ?   ... / 1 point

    a. Ranger le magasin et aider les clients à transporter leur marchandise.

    b. Vérifier les quantités des produits et ranger la marchandise dans les rayons.

    c. Arriver tôt pour nettoyer le magasin puis accueillir la clientèle.

5 ● Remplissez ce petit tableau concernant l'agent d'accueil.   ... / 2 points

Ce qu'il doit faire	Compétences requises
....	....
....	....

6 ● Pourquoi l'agent d'accueil doit-il être souriant ?   ... / 1 point

....

7 ● Qui doit travailler tous les jours de la semaine ?   ... / 1 point

....

8 ● Que doit-on faire pour poser une candidature ?   ... / 2 points

....

9 ● À qui doit-on s'adresser pour avoir plus d'informations ?   ... / 1 point

    a. À la caisse.   **b.** À la direction.   **c.** Au service d'information.

Compréhension écrite   ... / 25 points

Exercice 1 *Répondez aux questions, en cochant (✓) la bonne réponse ou en écrivant l'information demandée.*

... / 10 points

Vous êtes à Nice avec des amis et vous voulez sortir ce soir à un concert, sachant que :

- nous sommes le 25 juin ;
- vous aimez la chanson française ;
- Victor adore le rock ;
- Éva préfère les concerts à l'extérieur ;
- votre budget est de 50 euros par personne maximum.

Vous avez lu ces quatre annonces de concerts dans le journal.

MANU CHAO

Un style unique au rythme latino. Manu Chao vous entraîne dans son univers poétique, mélancolique et joyeux avec ce nouvel album *La Ventura*.

Son style a changé après avoir quitté *Mano Negra*, ce groupe de rock engagé qui a marqué toute une génération de jeunes Français. Inspiré de ses nombreux voyages en Amérique Latine, *La Ventura* retrouve des influences latino. Manu Chao, le chanteur multi-langues (espagnol, français, portugais, anglais), continuera toujours à nous étonner.

Découvrez ce grand artiste lors de son concert unique dans la Salle de l'Acropolis de Nice, le 25 juin, à 21 h.

Tarif : de 35 à 60 euros

Shaka Ponk

Le groupe de rock français tendance écolo ! **Shaka Ponk** n'est pas un groupe ordinaire : ils ont la particularité d'être sensibles à la thématique de l'environnement. Ce groupe français, fondé en 2010, est composé de sept membres, dont un singe virtuel nommé Mister Goz. Ils chantent en plusieurs langues (français, espéranto, anglais, espagnol), et ont débuté leur carrière en Allemagne.

Venez les écouter dans le cadre du festival *Ecolozik*, les 23, 24 et 25 juin sur la plage de Nice, en face du *Negresco*.

Tarif : 25 euros

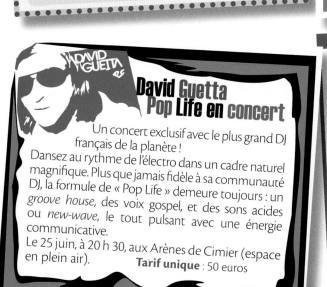

David Guetta Pop Life en concert

Un concert exclusif avec le plus grand DJ français de la planète !

Dansez au rythme de l'électro dans un cadre naturel magnifique. Plus que jamais fidèle à sa communauté DJ, la formule de « Pop Life » demeure toujours : un *groove house*, des voix gospel, et des sons acides ou *new-wave*, le tout pulsant avec une énergie communicative.

Le 25 juin, à 20 h 30, aux Arènes de Cimier (espace en plein air). **Tarif unique** : 50 euros

Shakira

Découvrez Shakira en concert, la blonde Colombienne qui a conquis le monde avec son mélange de rock-r'n'b latino, montrant un tempérament explosif tant sur ses albums que sur scène. Shakira est l'une des compositrices-interprètes les plus poétiques de sa génération, et certainement la meilleure chanteuse féminine en matière de textes de toute l'Amérique latine.

Dates : les 24, 26 et 27 juin
Dans la gigantesque salle de concert Nikaïa Zenith à Nice.
Tarif : 45 euros

	Manu Chao		Shaka Ponk		David Guetta		Shakira	
	OUI	NON	OUI	NON	OUI	NON	OUI	NON
Date								
Chanson française								
Rock								
Extérieur								
Budget								

Quel concert choisissez-vous ?

....

Exercice 3 *Lisez le document puis répondez aux questions.* //

... / 15 points

Interview de Riad Sattouf

Propos recueillis par Guillaume Monier pour *Evene.fr*, en collaboration avec Mikaël Demets – Juin 2009 – Le 09/06/2009

Premier film de Riad Sattouf, auteur de bandes dessinées confirmées, *Les Beaux Gosses* ne sort pas de l'univers traditionnel du dessinateur. [...] De passage au Festival de Cannes pour présenter son long métrage à la Quinzaine des réalisateurs, Riad Sattouf revient sur les motivations qui l'ont amené à conduire ce projet.

On ne peut parler des *Beaux Gosses* sans évoquer *Retour au collège*...

J'ai eu l'opportunité de faire le film suite à *Retour au collège* ; la productrice du film avait adoré la BD et m'a demandé si je voulais faire un film sur les ados. Comme je suis très libre dans mes albums, je ne voyais pas l'intérêt de réaliser un film si je ne pouvais pas faire celui qui m'intéressait. J'ai donc pu choisir tous les comédiens, mon équipe, dire ce que je voulais, avec le ton que je désirais. Il était difficile de refuser.

Cet attachement à la jeunesse, c'est pour essayer de mieux la comprendre ? De la faire comprendre aux autres ?

Pas du tout : l'adolescence est juste une période intéressante. Je suis, par exemple, fasciné par les cosmonautes. Dans mon film joue le plus grand cosmonaute français ; il incarne le personnage du prof de technologie. C'est Jean-

Un Film de Riad Sattouf

Pierre Haigneré qui a été six mois dans l'espace. Ce qui m'attire chez les cosmonautes et chez les adolescents, est leur faculté d'adaptation à l'environnement. C'est le thème de tous mes albums. Pascal Brutal est un homme « sur-adapté », qui est le meilleur dans n'importe quel domaine. Comment un individu qui arrive chargé de ses pulsions apprend à vivre avec les autres, à se comprendre lui-même, à contrôler ses émotions ? C'est finalement ça le thème du film. J'aime bien l'adolescence : le moment de la vie où tout le monde doit s'adapter, doit apprendre à être indépendant, doit savoir acquérir son autonomie et maîtriser ses pulsions. Je trouve ça très marrant* à montrer parce qu'on oublie souvent ce qui s'est passé à cette époque.

Derrière la caricature existe une réelle empathie* pour vos personnages, situés hors du temps, de leur époque.

Je ne voulais surtout pas me moquer de mes personnages, de la même manière que je ne voulais pas avoir un regard surplombant les jeunes. Faire un film sur les jeunes, les ados d'aujourd'hui, ne m'intéressait pas. Par exemple, il y a dans le film très peu d'ordinateurs, de MSN ou même de langage spécifique. Il n'y a pas d'explication des codes des ados. Je voulais mélanger les jeunes des années 2000 avec ma propre expérience d'ado dans les années 1990. C'est pour cela que le film recrée un univers, une espèce de logique, qui pourrait se passer aujourd'hui. Être à leur niveau, ne jamais les juger. Il n'y a ni bons ni méchants, comme dans la vie. Je ne voulais pas un regard de juge. Surtout pas.

494 mots

*Marrant : drôle, amusant.

*Empathie : fait de se mettre à la place de l'autre, percevoir ce qu'il ressent.

D'après le site evene.fr
(http://www.evene.fr/cinema/ actualite/les-beaux-gosses- riad-sattouf-2054.php)

1 • Le dernier film de Riad Sattouf parle...   ... / 1 point

    a. des adolescents. **b.** de l'école. **c.** des cosmonautes.

2 • Dans quel festival Riad Sattouf présente-t-il son film ?   ... / 1,5 point

....

3 • Qu'est-ce qui était le plus important pour Riad Sattouf ?   ... / 1 point

    a. Participer au Festival du Film de Cannes.

    b. Prendre les comédiens de son dernier film.

    c. Être libre de faire le film comme il le souhaite.

4 • **Dites si les affirmations suivantes sont vraies ou fausses en cochant la case correspondante et citez les passages du texte qui justifient votre réponse.** (1,5 point par bonne réponse.)   ... / 4,5 points

	VRAI	FAUX
a. L'acteur principal a un rôle de cosmonaute dans le film. *Justification :*		
b. Riad Sattouf pense qu'il y a des ressemblances entre les cosmonautes et les adolescents. *Justification :*		
c. D'après lui, les adultes ne se souviennent pas bien de leur adolescence. *Justification :*		

5 • **Citez trois grandes difficultés à surmonter pendant l'adolescence, d'après Riad Sattouf.**   ... / 3 points

....

6 • **Citez deux choses que Riad Sattouf souhaitait éviter dans son film.**   ... / 2 points

....

7 • **Avec ce film, Riad Sattouf souhaitait...**   ... / 1 point

    a. parler de la dépendance aux ordinateurs.   **b.** avoir un regard de juge.   **c.** montrer la vie telle qu'elle est.

8 • **Le film se situe...**   ... / 1 point

    a. dans les années 90.   **b.** dans les années 2000.   **c.** entre les années 90 et 2000.

Production écrite   ... /25 points

Vous habitez en France. Vous décidez d'écrire un article dans un forum pour ados sur les sanctions et les punitions. Vous parlez des pratiques dans votre école en donnant des exemples. Vous dites si, selon vous, ces sanctions sont trop ou pas assez sévères. Vous dites ce qui est le plus juste pour vous. (160 à 180 mots.)

Production orale

Partie 2

Exercice en interaction - sans préparation - 3 à 4 minutes

Vous tirez au sort deux documents et vous en choisissez un. Vous jouez le rôle qui vous est indiqué.

Sujets au choix

Sujet 1 *Sortie en discothèque.* //

Vous êtes dans une famille d'accueil, en France. Des amis vous invitent à sortir en discothèque ce soir. Vous essayez de convaincre le père de votre famille de vous laisser sortir.

L'examinateur joue le rôle du père de la famille d'accueil.

Production orale

Sujet 2 *Changement de programme.* //////////////////////

Vous participez à un séjour organisé, en France. Vous aviez réservé une sortie en bateau, mais au dernier moment l'animateur vous demande de changer d'activité. Il vous propose de faire de la planche à voile ou du surf. Vous insistez pour faire la sortie en bateau.

L'examinateur joue le rôle de l'animateur.

Partie 3

Monologue suivi - avec préparation - 5 à 7 minutes

Vous tirez au sort deux documents et vous en choisissez un.
Vous dégagez le thème soulevé par le document et vous donnez votre opinion sous la forme d'un exposé personnel de 3 minutes environ.

L'examinateur pourra vous poser quelques questions.

Sujets au choix

Sujet 1 *Lisez le texte ou l'article puis présentez l'idée principale et donnez votre opinion.* ///////////

Les adeptes du tatouage ont plus de conduites à risques

D'où vient l'envie de tatouage ? Les motivations sont différentes d'une génération à une autre. « Pour les plus jeunes, le tatouage peut être une façon d'affirmer son identité en se démarquant de ses semblables ou en s'opposant à ses parents, observe Marion Haza, psychologue et maître de conférences à l'université de Poitiers. Mais il est aussi souvent le reflet de l'appartenance à un groupe d'amis. » À l'adolescence, elle peut être le signe d'une souffrance psychique qui doit attirer l'attention des parents. Plusieurs études scientifiques ont montré que les jeunes gens qui ont eu recours à cette pratique sont également plus enclins* à avoir des conduites à risques, comme une consommation de tabac et d'alcool ou une tendance à la bagarre. Un chercheur en psychologie sociale de l'université de Bretagne-Sud met à son tour en évidence un lien entre tatouage et alcoolisation.

*Sont plus enclins à : ont plus de risque de…

sante.lefigaro.fr, le 16 avril 2012 (résumé du site : http://www.curiosphere.tv/adolescences/dossiers. cfm?onglet_id=2&dossier_id=1283)
http://sante.lefigaro.fr/actualite/2012/04/16/18006-adeptes-tatouage-ont-plus-conduites-risques

Sujet 2 *Lisez le texte ou l'article puis présentez l'idée principale et donnez votre opinion.* ///////////

Devoirs scolaires, le châtiment familial

On s'était engagé, la première semaine des vacances, à laisser les enfants tranquilles. Pas de travail scolaire, le cerveau au repos pour tout le monde. Noël passé, on n'a pas voulu jouer les rabat-joie* face à des enfants tout occupés à tester leurs nouveaux jouets. Mais le lendemain du 31 décembre, il a bien fallu les pousser à se mettre au travail. C'est à ce moment-là que les choses se sont gâtées*. La séance a rapidement viré au cauchemar. Cris, pleurs, cahiers qui volent… Finie l'ambiance de Noël, retour à la vie réelle.

*Jouer les rabat-joie : empêcher la joie des autres.
*Se gâter : se détériorer.

D'après : http://www.neoprofs.org/t42140-devoirs-scolaires-le-chatiment-familial

Imprimé en France par Clerc en juillet 2018
N° de projet : 10248023 - Dépôt légal : février 2018